The COPPER CANYON
CHIHUAHUA MEXICO
Tierra de Encuentro

Photography and Text
Richard D. Fisher

Text By
www.coppercanyon.org
www.canyonsworldwide.org
www.great-adventures.com
Roger F. Pfeuffer

Photography By
David L. Teschner
Roger F. Pfeuffer

Library of Congress Catalog Card Number 89-52202   ISBN Number 0-9678907-2-1

COPPER CANYON
CHIHUAHUA MEXICO
2006
Edited by Richard D. Fisher

Table of Contents

Rails to the Natural History of Chihuahua
Copper Canyon • Tarahumara Indians

"The world's most exciting train ride."
– Society of American Travel Writers

Temoris Station

Sierra Tarahumara

El Fuerte

El Fuerte is becoming a world class birding hotspot with relatively common sightings of endemic and rare species including: Solitary Eagle, Rufous-bellied Chachalaca, Military Macaw, Lilac-crowned Parrot, Eared Trogon, Squirrel Cuckoo, Russet-crowned Motmot, Social Flycatcher, Happy Wren, Golden Vireo and Elegant Trogan among many others. Also of interest are the Mayo Indians, archeological sites including 200 petroglyphs, a beautiful colonial town plaza and the "fort" which is being rebuilt to house a museum for the region. Wonderful guide services, hotels and restaurants all provide a unique experience on the way to the Copper Canyon.

Témoris Bridge Chihuahua

Copper Canyon
Mexico

The Natural History of the Canyonlands of Chihuahua Mexico

Barranca de Sinforosa

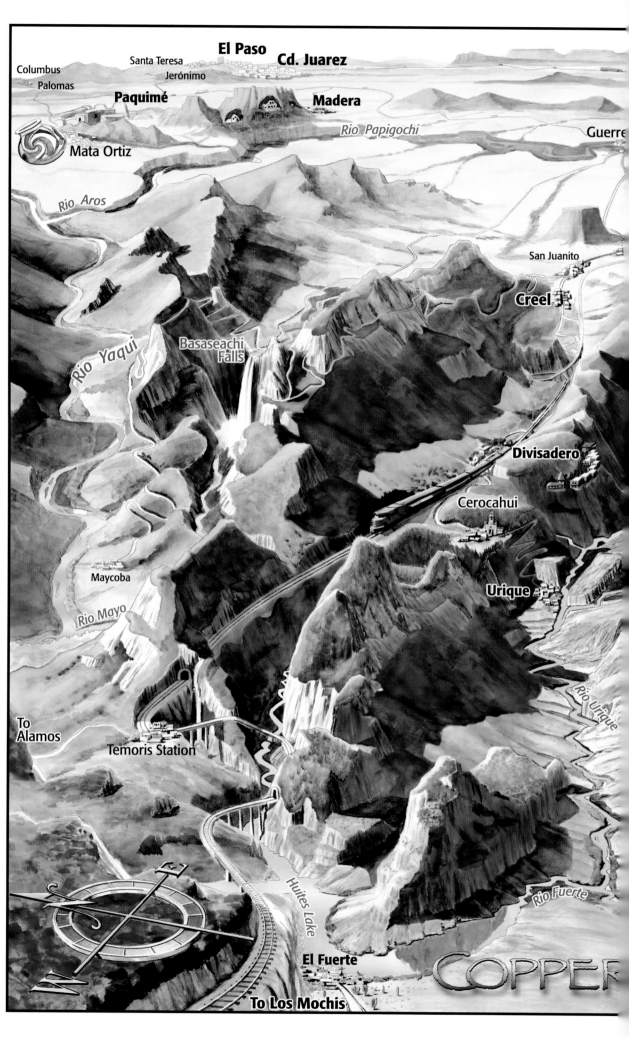

COPPER CANYON

Columbus
Palomas
Santa Teresa
Jerónimo
El Paso
Cd. Juarez
Paquimé
Madera
Mata Ortiz
Rio Papigochi
Guerre
Rio Aros
Rio Yaqui
Basaseachi Falls
San Juanito
Creel
Divisadero
Cerocahui
Maycoba
Urique
Rio Mayo
Rio Urique
To Alamos
Temoris Station
Huites Lake
Rio Fuerte
El Fuerte
COPPER
To Los Mochis

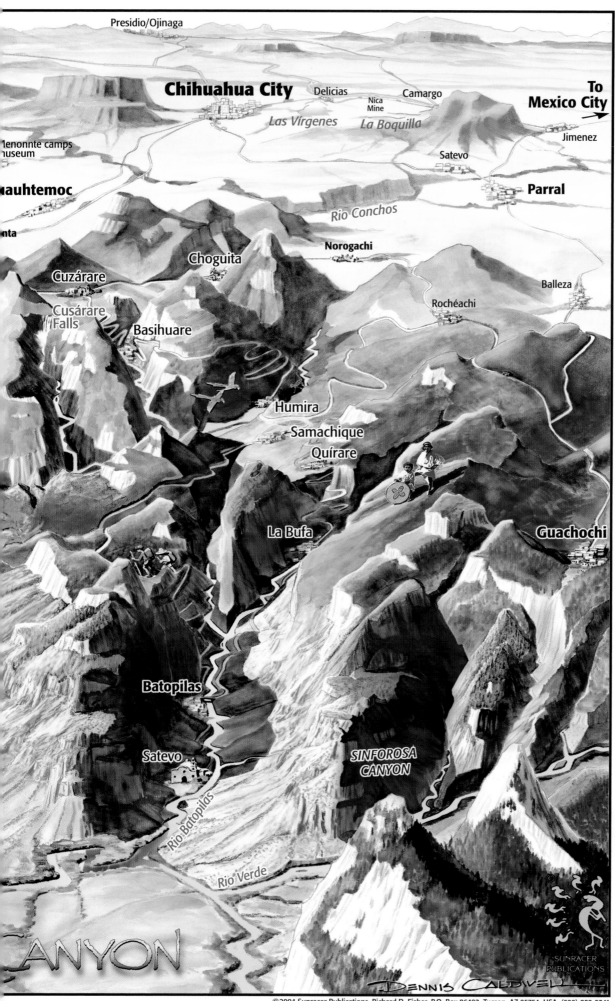

Presidio/Ojinaga

Chihuahua City   Delicias   Camargo
Nica
Mine
Las Vírgenes   *La Boquilla*

Jimenez

Satevo

**To
Mexico City** →

Parral

1enonnte camps
1useum

uauhtemoc

nta

Rio Conchos

Choguita

Norogachi

Cuzárare

Balleza

Cusárare
Falls

Basihuare

Rochéachi

Humira

Samachique

Quírare

La Bufa

Guachochi

Batopilas

Satevo

*SINFOROSA
CANYON*

Rio Batopilas

Rio Verde

CANYON

DENNIS CALDWELL

SUNRACER
PUBLICATIONS

C H I H U A H U A

Copper Canyon
Barranca del Cobre

Temoris Arco Iris
San Miguel Flores

Copper Canyon – Tejaban

The Mystical Barrancas

Humira Narrows – Copper Canyon

Family Ecocultural Tourism – Copper Canyon

Rio Conchos

Tubares Mission – Rio Fuerte

Dos Colas Falls – Témoris

Batopilas Canyon
Coyachique Falls

Satevo
Barranca de Batopilas

Pueblo Antiguo
Batopilas

Paquimé Culture
Huapoca Canyon - Madera

Cascada Piedra Volada
Candameña Canyon

Basaseachic Falls

Mata Ortiz
Palanganas River

Incised Meanders – Copper Canyon

Chihuahua
Rails: The New Gateway To The Sierra Madre

In 1872 Albert Kinsey Owen, an American utopian dreamer, first conceived the idea to construct a rail line between Topolobampo Bay in Sinaloa and Kansas City, Kansas. The route would shorten the existing rail route from San Francisco to Kansas City by more than 400 miles.

The rail route opened on November 23, 1961. Incredible physical, political and economic difficulties had to be overcome, and it was not until nearly a century later that the last stubborn section of track, which drops 7,000 feet in 122 miles, was laid. It took over 20 years to complete. This last phase was financed and directed by the Mexican government itself. Many names famous in railroad and international history were involved over the years. Enrique C. Creel, Ulysses S. Grant, Don Porfirio Díaz, Admiral George W. Dewey, Pancho Villa, Arthur Stillwell, Benjamin F. Johnson, C. Adolfo López Mateos, and the Tarahumara Indians all played key roles in making the dream a reality.

It took all the engineering skill that could be mustered after WW II to finish the Sierra and Barrancas sections of the route. The first major engineering feat, namely, traveling uphill, is made at the beautiful Témoris Station. The track crosses two curving bridges which reverse the direction of ascent. After crossing the Río Septentrión and a tributary on these bridges, the track ascends by successively higher loops until it disappears into a long tunnel. The second spectacular engineering feat is near the station of Pitorreal, about 40 miles west of Creel. Here the line actually circles back over itself in a complete loop. *This is one of only three examples of this type of railway engineering in North America.*

The rail trip from Los Mochis to Chihuahua has 36 major bridges and 87 tunnels, adding excitement to the 300 miles of track that follow a tortuous route from sea level to a maximum elevation of more than 8,000 feet at its highest point.

It is best to begin your tour at Los Mochis, as the most spectacular section of the ride, between the Témoris and Creel Stations, should always be seen in the daylight. Often the downhill run is late and passes through these incredibly scenic canyons after dark.

Leaving Los Mochis about dawn, the train passes through the Sinaloan Thornforest life zone. This area is characterized as a cactus and thorntree jungle and is very exotic in appearance. At the Agua Caliente Station, the train passes over the Río Fuerte on a large bridge and enters the foothills of the Sierra. At this point the track begins to climb more sharply.

Shortly after entering the foothills, the train crosses the spectacularly beautiful high bridge over the Chínipas River. Be sure to look down as you cross this trestle and see the foot and burro bridge suspended above the river, hundreds of feet below.

Following the Chínipas bridge, the train begins to pass through numerous tunnels and enters true canyon country. In Río Septentrión Canyon you can look down on many beautiful pools and cascades in the river below. Here the environment is tropical and lush with palm, banana, and mango trees. At Témoris Station the track bridges the river, climbs through a great loop, and enters a tunnel. You'll observe a complete change in environment upon emerging from the tunnels on the elevated side of this big "jump." This upper canyon has a distinctive alpine feeling, with the surrounding forest being predominately oak and pine.

The train continues to climb steeply through the canyon as it reaches the Divisadero overlook. You will feel a definite nip in the air as you disembark for about 10 minutes to get a brief look at Copper Canyon. The track continues to climb after Divisadero, but the surrounding environment changes from canyon to mountain. Vast forested mountains and ridges span vistas of up to 100 miles.

Between Creel and La Junta, the track continues through the mountain environment interspersed by beautiful valleys, each with its own picturesque village.

At La Junta, the train descends to the plains of Chihuahua. These beautiful grassy plains are interrupted by isolated mountain ranges and Mennonite farms. Sit back and savor the scenery of this peaceful area as you recover from the excitement of the canyons, now fading into the sunset.

It is astonishing that the trip from Los Mochis to Chihuahua can be made in one day. On the "Choo-Choo to Chihuahua," as a friend of mine affectionately calls this trip, you'll enjoy some of the most spectacular scenery on earth in the comfort of a modern railway coach. It is truly one of the most exciting excursions available to people of all ages anywhere in the world.

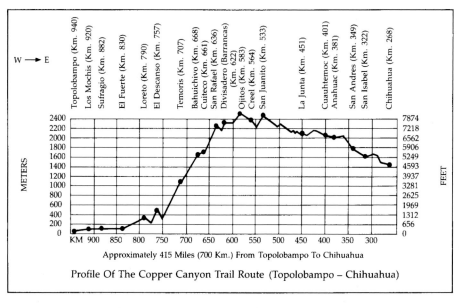

Approximately 415 Miles (700 Km.) From Topolobampo To Chihuahua

Profile Of The Copper Canyon Trail Route (Topolobampo – Chihuahua)

Railroad Log of Major Points of Interest
Los Mochis - Chihuahua

When using this log, watch for the kilometer posts beside the track. Each tunnel is also numbered on the right-hand side as the train enters.

941.0 km *Topolobampo.* After he saw the large natural harbor at Topolobampo, Albert K. Owen's project to establish a utopian agricultural colony assured the dimensions of a dream. He visualized a great international seaport for commerce between the Pacific Basin and the United States. The seaport would be linked to the midwestern United States by rail across the rugged Sierra Madre Occidental of Mexico. The railroad would shorten by 400 miles the distance between Kansas City and the Pacific.

920.4 km *Los Mochis,* whose name means "place of turtles" in the Mayo Indian language, is about 20 miles to the west of Topolobampo. Los Mochis was founded in 1903 by an American, Benjamin Johnson, who established large sugar plantations and a sugar mill. Today, more than 300,000 hectares (750,000 acres) are cultivated with crops including sugarcane, alfalfa, cotton, rice, and winter vegetables.

882.0 km *San Blas (Sufragio) Station.* Elevation: 105 feet. At San Blas, the Ferrocarril Chihuahua al Pacífico crosses the Ferrocarril Pacífico, which extends from Nogales to Guadalajara.

838.6 km *El Fuerte* was established late in the sixteenth century, when the viceroy of New Spain (Mexico) ordered the construction of a fort to protect settlers from the attacks of rebellious Indians.

781.0 km *Bridge over the Río Fuerte.* This bridge is 1,637 feet in length, the longest on the railroad. Have your camera ready.

780.0 km *Agua Caliente* village and railroad station.

754.0 km This bridge, spanning the Río Chínipas, is the highest bridge on the railway at 355 feet above the river and 1,000 feet in length. On your right toward the south you will see a suspension bridge for foot traffic. It's called the Chínipas Foot Bridge.

739.0 km Tunnels #79-82. These tunnels range between 124 and 780 feet in length.

736.0 km *Santo Niño.* A little railroad camp and siding. Most of the boxcars are ex-WW II troop cars now serving as homes for the railroad workers.

722.4 km Tunnels #71-78. These range from 65 to 581 feet in length.

721.0 km Tunnels #66-70, ranging from 305 to 639 feet in length.

718.0 km To the left is one of the steepest cornfields in the world. Trees and vegetation have been burned off.

717.0 km Tunnels #64 (880 feet) and #65 (450 feet).

711.0 km Tunnels #53-63. The lengths of these tunnels range between 139 and 657 feet.

710.8 km Mina Plata Bridge (348 feet).

710.4 km Tunnel #52 (1,023 feet).

710.0 km Tunnel #51 (1,143 feet).

709.0 km Tunnel #50 (413 feet).

707.1 km As we approach Témoris (elev. 3,365 feet), the railway crosses the **Santa Bárbara Bridge** (714 feet) over the Río Mina Plata, a tributary of the Río Septentrión. The Río Septentrión and Río Chínipas join to become the Río Fuerte. Mexican rivers are not named in the same manner as in the United States, so this system is often confusing to visitors.

707.0 km The village of *Témoris* is located on a plateau high above the station. The village was founded in 1677 by two Jesuit missionaries who named it Santa María Magdalena de Témoris. Témoris was the name of a tribe of Indians who inhabited the region.

704.8 km Tunnel #49, known as the La Pera, is 3,074 feet in length.

704.0 km The commemorative marker, built for the dedication of the railroad by President López Mateos on November 24, 1961, is constructed of rails 22 feet long with letters 2 feet high. Here are views of the railroad descending by means of curves and loops. At one point, three levels of railroad are visible. Also in view is tunnel #49 and the spectacular twin waterfalls.

703.0 km Tunnels #48 (623 feet) and #47 (115 feet).

701.0 km Tunnels #46 (2,680 feet), #45 (662 feet), #44 (479 feet), and #43 (384 feet).

695.8 km Between kilometer posts 695.8 and 662.6, are many bridges and tunnels ranging in length from 220 to 1,102 feet.

668.1 km *Babuichivo.* Get off here for Cerocahui, the Hotel Mission, and Urique Canyon.

662.0 km *Cuiteco,* an interesting little village with a church and numerous old buildings, was originally an Indian village. A mission was established here in 1684 by the noted Jesuit missionary Padre Salvatierra. "Cuiteco" is derived from a Tarahumara word meaning "neck-shaped hill." The area is noted for the production of apples. Many orchards may be seen in the valley and on the slopes.

656.8 km From kilometer posts 656.8 through 649, there are again many tunnels.

650.1 km *La Mora Bridge,* 445 feet in length.

640.8 km Between kilometer posts 640.8 and 638.3 the tunnels range from 351 to 1,512 feet in length.

633.0 km Tunnels #16 (180 feet) and #15 (369 feet).

623.0 km Tunnel #14 (377 feet).

622.0 km *Divisadero* overlooks a tributary of the Río Urique in the Barranca del Cobre. You may also reach Divisadero by walking about an hour from Posada Barrancas. It is the first dramatic view of the canyon.

601.8 km *Pitorreal*

585.0 km *El Lazo* (The Loop) is an incredible turn where the rail actually crosses over itself

583.0 km Highest point on the railroad: 8,071 feet.

575.0 km *El Balcón View.*

563.8 km *Creel* is a lumber town of about 5,000 people nestled in the mountains away from the edge of the canyon. Creel was named after Enrique Creel, governor of Chihuahua, who, with Arthur Stillwell in the late 1890s, promoted the original railroad route from Kansas City via Copper Canyon to the Orient. Life in Creel centers around the lumbering operations, the railroad, the Jesuit Hospital of Fr. Verplancken which treats the Tarahumara Indians, and the tourists who come and go. You will be very interested in the Mission Store. This store buys from the Indians all year long and resells to visitors. The proceeds help offset the operating expenses of the 75-bed hospital.

555.0 km *Bocoyna* was founded in 1702 by Jesuit Missionaries as Nuestra Señora de Guadalupe de Bocoyna. The name means "pine-forest" in Tarahumara.

534.0 km Bridge over Arroyo Ancho.

531.0 km *San Juanito,* 8,000 feet above sea level, was established with the arrival of the railroad in 1906. Its temperatures are the coldest of any town in Mexico.

471.0 km Bridge over Río San Pedro.

461.0 km *Miñaca* is a small settlement whose name is a corruption of the Tarahumara word "muguyaca," meaning mountain lion.

451.0 km *La Junta Station,* located 6,775 feet above sea level, is the roundhouse for the railroad and a major railroad junction. One track branches north from here to Ciudad Juárez. The river we will cross before La Junta is a tributary to the Río Papigochic, which joins the Río Aros in Sonora and empties into the Gulf of California.

400.0 km *Cuauhtémoc.* The village grew with the arrival of the railroad in 1900 but was accelerated with the arrival of the Mennonites in 1921-1922. In 1927 the name was changed in honor of the last Aztec emperor (Cuauhtémoc).

346.3 km Tunnel #2 (367 feet).

349.0 km *San Andrés Station.* This village was founded in 1696 by Franciscan missionaries and named San Andrés de Osaguiqui. In 1932 the name was changed to Riva Palacios in honor of General Vicente Palacios, a writer and hero of the war against the French.

319.0 km After crossing the highway the train enters the village *General Trías,* founded by Franciscan missionaries in 1668 and named Santa Isabel de Tarahumaras. In 1932 the village was renamed in honor of General Angel Trías, a hero who successfully expelled the French from México in 1862-1863.

268.0 km *Chihuahua City.* Capital of Chihuahua, the largest state in México.

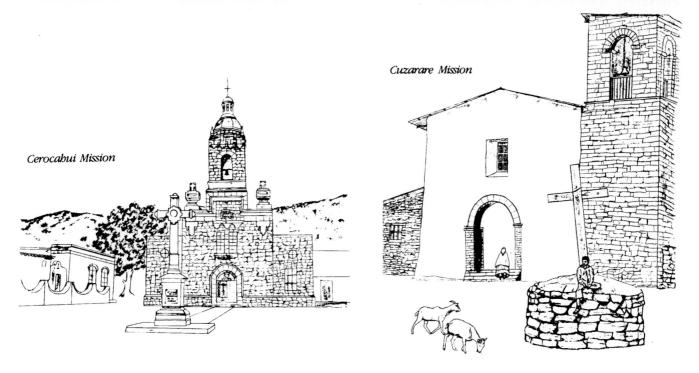

Cerocahui Mission

Cuzarare Mission

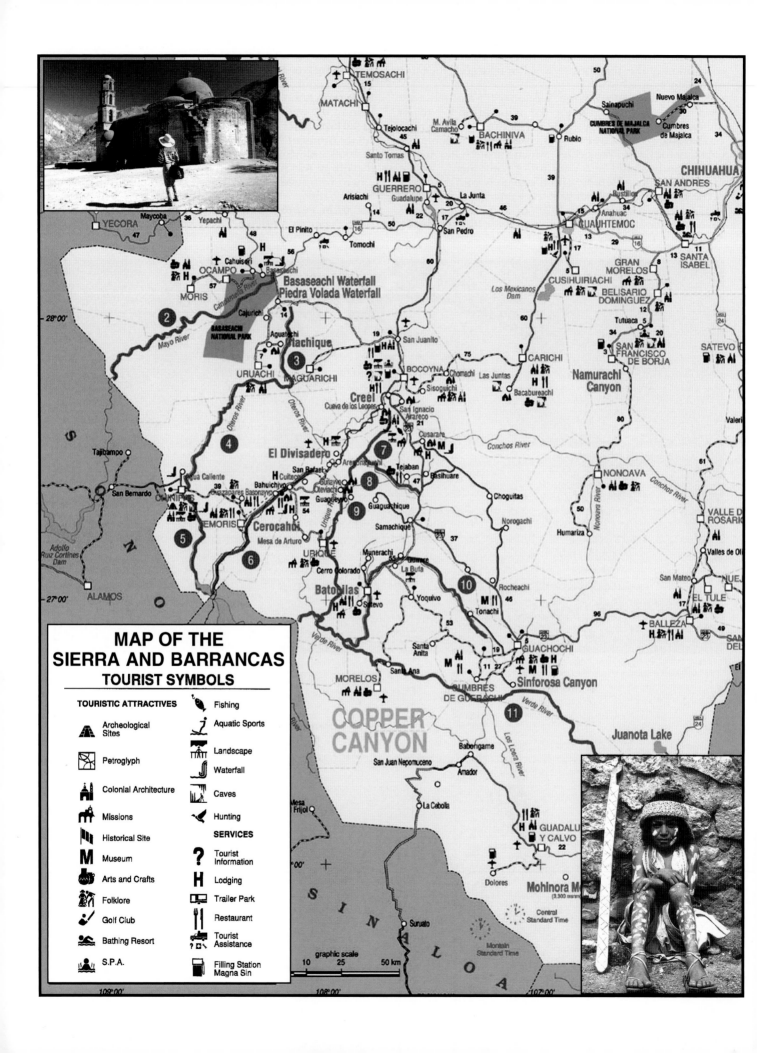

The Majestic Barrancas
by Richard D. Fisher

It is said that there are five canyons in the state of Chihuahua which are deeper and larger than the Grand Canyon of the Colorado. The first descent and exploration of the two deepest and narrowest of these canyons was accomplished in 1986. It is amazing that these incredible chasms have not been documented in the modern era. It took the development of canyoneering techniques to make these areas accessible to exploration and documentation.

For years, the great barrancas of Mexico have been recognized as some of the wildest, most rugged and interesting areas on the North American continent. Parts of the barrancas country have been explored since the days of Carl Lumholtz (1890). In 1892, Lumholtz accomplished on foot what is to date the most complete exploration of the Sierra Madre and the Barranca de Sinforosa. Carl Lumholtz called this canyon the Barranca de San Carlos, and his work still stands today as the most accurate and complete account of the area. As far as I know, no effort has been made to explore all the canyons in the region by raft or other watercraft. In 1985 I set out to accomplish this goal.

The objectives of this four-year project was to document and evaluate the barrancas for National Park status, accomplish a preliminary survey of flora, fauna, and human uses, and to compare these gorges to similar systems worldwide in terms of river-running potential. An effort was also made to draw comparisons between these little-known canyonlands to its more famous sister system–the Grand Canyon of the Colorado.

In January of 1986 I organized a team of expert expeditioners to explore the Barranca de Sinforosa, the second deepest and the narrowest chasm in the area. We experienced many incredible difficulties due to the extreme low water. We were, however, successful in locating an area which is largely undisturbed by the activities of man. This is one of the only areas in the entire region to maintain flora and fauna that were common throughout the canyons when the missionaries arrived with goats and cattle 300 years ago. In October 1986, a second successful first descent was made of the deepest Barranca, the Urique.

General Description – Río Verde And The Barranca De Sinforosa

The Río Verde is the largest of the three rivers which drain the central "Sierra de Tarahumara." This river maintains the highest output of water annually. The Río Verde is, practically speaking, the most remote and difficult to reach of the three river systems. The three sister rivers are Río Urique, Río Batopilas, and Río Verde.

It is generally believed that these three rivers carve the largest and deepest canyons in North America, and that these barrancas are certainly one of the greatest canyon systems on earth.

Due to the remote and inaccessible nature of the Río Verde, it is one of the least explored and documented areas in North America.

The flora and fauna of the canyon have been greatly affected and changed by human use, primarily through grazing of cattle and goats. There is a spectacular exception to this in the narrowest area, where a pristine forest with exotic trees, birds, and mammals make their last stand against human encroachment.

The geology of the canyon is primarily hard igneous strata. This exceptionally hard stone is tremendously resistant to erosion. This causes the river channel to be filled with boulders of dramatic proportions. The gradient of the river is also extreme. The estimated drop through the narrows averages 120 feet per mile.

The canyon is used extensively by both Mexicans and Indian families. Tarahumara and Tepehuan Indians are not as abundant as anticipated, and generally inhabit the upper third of the canyon. However, we noted at least one Tarahumara family living in a temporary camp at river level.

The Río Verde is not navigable at any water level with the equipment or techniques available today. Short sections of the canyon can be backpacked, as there is trail access in numerous areas. Downriver travel is not practical except for short distances (1-2 miles). Expedition member Tim Bathen suggested that Buck Rogers-type jet packs might one day make this barranca accessible.

Due to the extreme depth, narrowness, and geology of the Barranca de Sinforosa, the basic principles of rapids formation are not the same as in the Colorado river system. Almost all rapids on the Colorado river system are created by boulders washed into the river channel from side canyons. While some of the largest boulder fields in the Sinforosa Canyon are created in this way, the vast majority of boulder fields and rapids (waterfalls) are created by slabs that fall directly into the river's course from above.

The canyon is not as consistent as the Grand Canyon of the Colorado in terms of narrowness x depth x length. Overall, I estimate that the Sinforosa canyon is slightly larger than the Grand Canyon. The Sinforosa does not appear larger because, as well as being very narrow, it twists and turns so that views over fifty miles in length are uncommon.

As previously noted, this canyon is not suitable for any type of traditional river travel. However, by using "canyoneering" techniques, it is possible (although not practical) to traverse 30-40 miles on a well-planned and well conceived expedition. The average mileage per day, under the best of conditions, should be planned at 3-5 miles.

The weather during the first expedition and exploration, which occurred during January, was characteristic as cool-to cold nights and warm-to-hot days. Previous to our expedition, there had been little significant rainfall or snow for three months. The river was at a lower water level than expected, presenting major problems. Some of the rapids would have been runnable at higher water, but that would have made conditions even more perilous in the boulder fields.

The members of the expedition team were: Tim Bathen, Michael Kelly, and team leader Richard Fisher.

General Description – Barranca de Urique

Carl Lumholtz reports the word 'Urique' means canyon in Tarahumara. There is often confusion concerning the actual locations to which this name is applied.

Generally speaking, the village of Urique is located in the upper portion of Barranca de Urique. This canyon terminates at the Río Fuerte. It is not common knowledge that downstream of the Fuerte-Urique junction is a smaller but incredibly beautiful canyon which I shall call the Fuerte Canyon.

The Urique and Fuerte Canyons are the only areas in the barrancas which lend themselves to any type of traditional river travel. I emphasize that they are only runnable during high but not flood-stage water.

Below the town of Urique the river can be run for approximately ten miles before it is necessary to portage about one-half mile. This place, Dos Arroyas, is where a thick patch of large boulders create several small but beautiful waterfalls. This is one of the most spectacular areas of the trip. Depending on the water level, it is possible to run almost every rapid from here to the Río Fuerte. It takes approximately three days to run from Urique Village to the Fuerte River.

This entire run can be described as passing through illegal activity country. I advise that rafters stay on the river and not do any side hiking at all. Usually Mexican people are very friendly and safe to deal with, but in this area avoidance is recommended. Let the local people come to you; don't seek them out, as you might run into something unexpected and unpleasant if you go exploring.

At the village of Tubares, there is the beautiful ruin of an early mission. Be careful in this village not to explore beyond the mission area. Downstream from Tubares is another mission called El Realito, which to this day is still standing. It's a beautiful and enchanting spot. Approximately five miles downstream of El Realito, several rapids are encountered which end in a very dangerous waterfalls/shoot. We were able to line the raft through this area.

Five miles below the falls, the San Francisco Dam is encountered. The river has breached the dam so there is no lake. However, the dam itself is a mandatory portage. Below the dam is the heart of the Río Fuerte Canyon. There are a few small ripples here. The water generally has a good current in this area, but appears to be very still. Crocodiles once lived in this part of the canyon. The San Francisco Dam site is incorrectly marked on the topographical maps. It is one-and-one-half days from the dam to the takeout at the Agua Caliente train station.

Overall, the trip can be made in about six days *on the river* with appropriate water level, equipment, and techniques.

What we found at the end of the expedition is very discouraging. Right before the takeout at the famous "Copper Canyon Train," a large dam is under construction. It's truly a shame that the deepest canyon in the hemisphere will be drowned before it is fully documented scientifically or enjoyed by outdoor enthusiasts.

Expedition members were: Kerry Kruger, Rick Brunton and the team leader, Richard Fisher.

General Description – Barranca del Cobre (Copper Canyon)

Previous expeditions to the Barranca del Cobre produced some very valuable information. Due to the relative ease of access via the famous Copper Canyon Railroad and through Creel, the Barranca del Cobre has been the site of many professional and amateur expeditions. Several attempts have been made to descend the river. The general consensus is that the Barranca del Cobre is unsuitable for any type of traditional river travel. Most, if not all expeditions to this canyon, have not been able to achieve their objectives due to the extreme nature of the riverbed terrain, inappropriate techniques, and equipment not suitably adapted to canyon topography.

The Barranca del Cobre is made impassable by a huge boulder pile and waterfalls which occur approximately ten

miles downstream of the Umira bridge. This boulder field is where the river goes underground for over a mile. Downstream, the river course assumes a nature much like the Sinforosa Canyon (see photographs). Several other areas have also been tried by boat and or kayak. One is from El Tejaban to the trail down from El Divisadero. This stretch is also described as unrunnable. One party seemed to have a little better luck in inflatable kayaks from the El Divisadero trail put-in to the village of Urique.

The Barranca De Guaynopa

It is interesting to note that the Río Aros is, as a practical matter, the largest river in northwest Mexico. Now that the Yaqui River no longer exists due to hydroelectric projects, the Aros stands out as the most significant wild river in this region. The Río Aros, which is called the Río Sirupa as it cuts the Guaynopa Canyon in what is called the "big bend," shares many characteristics with the Barranca del Cobre. This area is near Madera–Chihuahua.

National Park Status

There is no national park or natural preserve established anywhere in the barrancas area. The canyons dissecting this region of the Sierra Madre are world renowned for their scenic grandeur and spectacular vistas. It might be considered that several "units" in the barrancas country would be a feasible concept for establishing national parks preserves.

The narrowest section of the Barranca de Sinforosa would make an excellent candidate for national park designation and preservation. There would be few conflicts with other interests in the "narrows," as this particular area has maintained the natural integration of flora, fauna, and scenic wonders.

The specific area which would fit all the criteria for national park status is where the San Rafael Ranch is now located on the rim of the canyon.

The Barranca de Batopilas is discussed more thoroughly in the Lost Cathedral section of this guidebook. The area surrounding Satevo would make an ideal location for a national historical zone or park.

In the Barranca del Cobre, the best location for a national park would be from the Umira Bridge to the El Divisadero area, as this is the most spectacular section of the canyon.

In the United States, these areas would be considered too small and incomplete for national park status. Considering the political, economic, and social situation in Mexico, these areas would make an excellent start and are certainly the gemstone areas of the Majestic Barrancas of the Sierra Madre.

Geographical Information			
Name	Depth in Meters	Feet	Location
Urique Canyon	1879	6136	10 km. S. of Urique
Sinforosa Canyon	1830	6002	C. de Guerachi
Batopilas Canyon	1800	5904	10 km. N. of Batopilas
Copper Canyon (Barranca del Cobre)	1760	5770	At Urique
Guaynopa Canyon	1620	5313	15 km. N. El Paraja Bridge
Grand Canyon	1425	4674	Hopi Point

The Lost Cathedral

by Richard D. Fisher

Isolated deep in the most remote and rugged barrancas country is a great anomaly in space and time. Its name unknown, its creator unidentified, its very existence questioned. Local myths contradict each other as to its origins and purpose.

Many of the missions and colonial churches in northwestern Mexico are well documented and frequently visited. There are, however, persistent rumors that a great cathedral exists deep in the Grand Canyon in Mexico. Unaccounted for, shrouded in mystery and legend. Having accidently discovered many unknown places in the northern Sierras, my interest in exploring these areas was aroused. I set out to scout the central Sierra Tarahumara and to find this "Lost Cathedral" and its picturesque canyon setting.

I first heard of the grand church, hidden deep in the barrancas country, from an ancient adventurer. Fifteen years ago I was considering a backpacking expedition to the famous "Grand Canyon of Mexico" near the town of Creel, Chihuahua. As I spoke to many people with knowledge of the area concerning this trip, the best information came from a gentleman who retired from years of exploration, settling down to manage a travel agency in Tucson. Although, as the years pass I can't remember his name, I'll never forget the astounding story he told me.

In a cool, dusty office surrounded by colorful travel posters and brochures, he related the following tale: Down the river from the small village of Batopilas is a fantastic cathedral, the most interesting man-made object in the entire canyon country. He described the canyon setting as one of the most beautiful scenes he had encountered during his world-wide travels. His description was painted with such vivid color that, in my mind's eye, I could visualize a great romantic painting depicting the ruins of an ancient monolith, draped with vines, and canyon walls rising to the very heavens.

He told of a group of visitors that wanted to take the cathedral's bells to display in a museum. Respectfully, the Indians told them they could take the bells, but they could not leave the valley. The collectors decided that their lives were more important than the church bells, and departed peacefully.

During my early research, I talked with several people who had been to Batopilas and heard that a few Tucsonans had even been to the mission. However, even with careful research, I could find no map which indicated its location, no photographs, and no one who could tell me who built it, when it was constructed, or why. Everyone who had visited the barrancas country was in agreement on one thing: that the country was incredibly rugged and travel to the Batopilas area was, at best, very difficult. Conflicting reports concerning road conditions and general travel hazards led me to prepare for the worst. I was outfitted with the minimum: a backpack, camping gear, food, water and, only basic photographic equipment.

I traveled with another explorer who had extensive outdoor experience. We both harbored a keen interest in the Barrancas of Mexico – which had been at our doorstep for years.

The train ride to Copper Canyon was all that it is written up to be. We shared a modern coach with a few other tourists. A bilingual interpreter gave us a detailed description of the various panoramas encountered along the track. When she in English, her tones were very soft and each word was enunciated with gentle precision. Several times I asked her repeat the description. Carefully, she would repeat each on with accuracy and cheerfully answer my questions. When asked questions concerning the geology or the geography of the area, she had surprisingly good answers, but would indicate she was not 100% sure they were correct. I felt like I was on a first class airline, and not a rough train ride winding through rugged deserts, canyons, and mountains.

The views were spectacular! At the Témoris station, I hopped off to photograph a three-jump waterfall cascading from a narrow cleft. The train stopped to take on another engine for the steepest part of the climb. Looking up the track, I could see an "S" turn on a very precipitous incline.

I rushed into position for a shot about twenty feet down the hill. The whistle sounded as I reached the best vantage point. I figured with the steep climb, the train would get off to a slow start. Firing off the first shot, I heard the train leap forward.

The clash of car linkages meant business. Before the second shot, I looked up to see the train running full speed up the mountain. People were yelling for me to run. I felt confident I could outrun a train grinding uphill from a dead stop. About three strides up the rocky slope I realized the train could set world records. Zero to sixty in seconds, or so it seemed. I was sprinting alongside, visualizing hobo stories I heard as a kid about people being sliced up by trains. As an open portal swished past, I lifted my camera so the passengers could grab it, and I could swing myself onto the hand rail. They grabbed my entire arm and swung me physically onto the landing. "Muchas Gracias" was said all around, amid smiles and laughter. Another average day on the Barranca del Cobre Vista Dome rail tour. I usually take at least three shots (photos) for safety; in this case one would have to do.

The train climbed through the canyons from desert scrub to alpine forest in two hours. Another five-minute stop at the famous "Grand Canyon of Mexico Overlook" and a second sprint back to the impatient train. I was a bit conservative after the first whistle and stepped aboard just as the train lurched forward. The Divisadero stop was incredible. The whole panoramic view of the Barranca del Cobre was spread out below, as Tarahumara children sold simple baskets and carved dolls along the guard rails.

Arriving in Creel late in the afternoon, crisp alpine air greeted the passengers at the station. A mountain town with a sawmill, several churches, a tourist shop, and a few hotels, Creel could be "anywhere Old-West U.S.A." Sort of a nondescript village with pot-holed streets and hardy, honest mountain folk. Mule trains and horses were as frequent as pickup trucks.

We quickly learned that a bus actually ran to Batopilas at least once a week and sometimes twice. We could also catch "regular" buses to other remote areas. Mountain buses are the only "rapid transit" available to local families. They serve anyone and *everyone* who needs a ride. This makes for jampacked terrestrial ships wallowing through a jumbled sea of dusty canyons. Instead of waiting the couple of days for the bus, we caught a ride on a lumber truck leaving the sawmill the next morning. Headed back into the mountains, these huge flat beds fan out over a thousand square miles to pick up freshly cut timber.

The first or second truck stopped and we exchanged greetings. I asked the driver where he was headed, but could not understand his reply. Fortunately, I did understand we were headed in the same direction and jumped aboard.

Bumping along the road, a Tarahumara woman and two small children shared the back of the open flat-bed truck with us. We crowded together so that no one would be thrown off into the ditch – or worse.

Every half hour or so, the truck halted for a short break. At each stop, I would show the driver the map and ask where he was headed. Even though he wasn't able to point it out, he did assure us that it was near Batopilas. Guachochi (an Indian name) kept turning around and around in my mind. Finally I realized it was a "major" town – all the way across the canyon country, near the Barranca de Sinforosa. We were in luck! On the first day out, we hitched a ride across the Sierra to a town near our mystery canyon.

I had two objectives for the expedition: to find the lost cathedral, and to visit the largest and most spectacular canyon in Mexico.

All day long, we lurched down one mountain and bounded up another. The Tarahumara mother got off well before noon and disappeared down a steep ravine with her small children trotting along behind. Various people enjoyed our driver's generosity during the day, as the truck continued to stop for mountain folk standing beside the road. It was actually less than one hundred miles, but it took six hours to traverse the canyon-cut mountains. We met more than a dozen people during our ride.

Upon reaching our destination of Guachochi, I discovered a new found respect for rodeo bull riders. I felt as though I had had a spinal fusion operation from my tail bone all the way to my jaw. My hand was frozen on the logging chain stretched around the bed of the truck, after grasping for safety for so long. My teeth were clenched so tight (so as not to lose any) that it was hard to open my mouth to say "Muchas Gracias!" The driver took his "tip" to the local cantina and we limped off looking for a hotel.

The next morning, we woke well before dawn and stuffed a few scraps of wood in the stove to heat coffee and thaw our boots. Our hotel was a modern two-story stone structure with a small wood stove in each room. I was a little nervous pouring kerosene over pine chips in the predawn darkness. The smell of raw petroleum leaping into flame brought back faint memories of my grandmother starting the breakfast fire on our Indiana farm, as my child's appetite demanded oatmeal with honey.

This morning started with hot coffee and cold tortillas. Outside our hotel, there was anticipation in the air as our frosty breath was tinted gold by the rising sun. We hired a pickup truck to take us to the edge of Mexico's greatest canyon.

On the rim, the excitement intensified as a warming sun began to drive lacy clouds out of the canyon, to drift over distant pine-clad mesas. We couldn't wait to explore this mysterious chasm, so down we plunged.

Canyons are amazingly deceptive. We actually leapt down vertically two or three feet with each step, yet hours later we were still high along the canyon wall. If it were a mountain of the same vertical proportions, we would have realized it would take at least one day to descend and would have planned two or more days for the ascent.

Through the blistering heat of day, we plunged downward. Passing from pines to oaks, we finally entered the desert life zone. I was limping badly when we reached the river. It had been the longest, steepest trail I had encountered in fifteen years of wilderness travel. The Barranca de Sinforosa is deeper than the Grand Canyon of the Colorado, with this major trail being as rough as the Boucher Trail.

This backpacking expedition was critical to my future appreciation and understanding of the lost mission. While nursing an injured knee for the next two days, I had time to reflect on the mystery surrounding this colossal structure. My throbbing knee prevented me from joining my tougher partner on daily excursions, but it brought home the reality

of this country. Often described as some of the most rugged terrain in the world, the barrancas resisted the intrusions of western development for over 300 years. Exceptions to this rule are the mission at Satevó, founded before 1750, and the nearby mining town of Batopilas, built between 1880 and 1910. How the early Fathers constructed one of the largest buildings in the North American West (pre-1920), at the bottom of one of the world's deepest canyons, was a question that intrigued me. Who and when were of interest, but why? *WHY* was the biggest question in my mind.

Imagine one man working alone in a foreign country, with wild tribesmen speaking an isolated dialect in an aggressively hostile environment. One human, with a dream no one else could see, building a great structure using the voluntary labor of aborigines who had never seen an adobe hut; a people who lived in caves and brush shelters. Picture something greater than a building; envision a symbol of faith - anticipate the physical expression of the universal spirit. (Today, national parks are an expression of the same ideal.)

Resting along one of the world's least known rivers, deep in the heart of one of the earth's greatest canyons, these thoughts made me realize how humble many modern outdoor stunts of this era really are. It also impressed upon me the reality that faith can be used for important tasks *other* than moving mountains. Mountains and canyons are God's most inspiring handwork. Great churches are the physical expression of faith and another beautiful creation, the human spirit.

Four days later and just fifty miles away as the raven flies, we were in Batopilas. We hired a mule to carry our packs out of the Barranca de Sinforosa and hitchhiked around to this isolated yet prosperous village. Historically one of the richest towns in Mexico, Batopilas was built by the silver that was mined there. Still one of Mexico's major exports, the silver magnet has drawn men from four continents to this remote locale. With them they brought the skills to build a beautiful town and turn large amounts of metal from the earth.

The Batopilas ore was first discovered in the late sixteenth century. Mines were developed and passed from company to company through the years. The town's fortunes rose and fell with the production of silver and current political conditions. Most of the beautiful buildings in Batopilas today were built between 1880 and 1910, when the area enjoyed a consistent political climate and a high rate of silver production.

While Mexican silver paid for the beautiful town, an American pragmatist named Alexander R. Shepherd was the driving power behind the mine's most productive years. Shepherd spent much of his life building up the Batopilas area. He always reinvested the profits from operations back into more efficient machinery and community improvements such as bridges, aqueducts, and electrification. It wasn't until a few years after his death that investors began to receive regular dividends.

Most of Shepherd's achievements are now in ruins. The Hacienda de San Miguel, which served as the family residence, business office, mill, and reduction plant, is located across the river from Batopilas. Exploring these ruins, one can feel the grandeur of days past, and admire the vision which was responsible for construction of a beautiful place.

While the material wealth of Batopilas vanished with the closing of the mines, its cultural traditions are still rich. Shepherd's son, Grant, describes how the first piano was shipped to Batopilas. The upright piano was carried 185 miles across mountains and deep canyons. Twenty-four carriers working in three shifts would spell each other every 20-30 minutes. It took 15-20 days to make the trip. Most of the carriers were said to be Tarahumaras, who were paid $1.00 a day for their efforts.

The era of prodigious production ended with the revolution, but the mines were still being worked into the mid-1940s. The result of this historical drama, with its many interesting antecedents, is a modern Shangri-la set deep in a remote canyon beside an emerald green river.

Four miles down the river is the great church, whose past, like its future, drifts directionlessly, anchored only by the physical durability of its red brick construction.

Like a mirage set in an unlikely environment, this "cathedral" stands gracefully out of place. Canyon walls and the river are its only appropriate companions. Technically, a cathedral is the seat of a bishop. However, the size and structural complexity of this mission necessitates more than the usual definition of "church." If mountains and canyons are cathedrals fashioned by God, then Satevo must be a cathedral built by faith – for the spirit.

Besides, if it were a church, for whom was it built? There is no record of any sizeable population living near Satevo. Batopilas is the only real village within a five day's horseback ride. Early accounts from Batopilas indicate it took most of a day to ride to Satevo and return. Historically, Batopilas has always had a church large enough to meet its spiritual needs. There are no ruins, roads, large mines, or other signs of previous habitation. Today, there are a dozen or so families living in the Satevo valley. However, these scattered adobe homes wouldn't really qualify as a small village.

Oral tradition, like written documentation, is at best sketchy and varies from source to source. There is agreement on two points – it is very old and very beautiful.

Personally, upon close inspection, I would not say that the structure itself is "beautiful." The mission shows the ravages of time, and stabilization efforts were geared to its preservation, not restoration. Yet, Satevo stands tall and handsome, bearing the weight of time with graceful dignity.

Beauty is a value which is perceived differently from person to person, just as values themselves vary. I once read that if you carry beauty with you in your heart, that values will be your guide.

When I finally reached my physical destination, I had no idea what to expect, and in a way, I really didn't expect anything. The mild February sunlight warmed aching muscles and bones, and shone with tranquil softness on the cathedral. It was easy to just sit, rest, and contemplate the scene. An old Indian drifted up and sat nearby. I asked him who built the mission, when, and why? He told me it was built for the Indians who worked the many silver and gold mines in the surrounding hills. He related that it was very old-the oldest grand cathedral in all of northern Mexico. He said it was so old that no one knew who had constructed it.

He asked me if I wanted a tour of the "missions." Passing through the portal, my self-appointed guide assured me that I was inspecting the original carved oak doors which had been carried down from the "high" mountains by mules. They were more like huge gates than doors, and pushing through them I could understand why the primitive Indians felt they were passing from the natural world into the very presence of God. A stone ceiling arched a full three stories above the great empty chamber. Flagstones, worn smooth by the passing of hundreds of years and thousands of bare feet, covered the resting places of several padres, my guide related reverently in hushed tones.

The old Indian told me many things, but much was lost in translation and to the sunbeams filtering in through cracks and windows high above. I did hear him say that the local people were trying hard to repair the cathedral before

it was split asunder by the huge crack that ran the full length of the ancient structure. I could see that work was being done in the vaults high overhead. I gave him a few thousand pesos. He was very thankful and stowed the bills, along with many others, in the holy shrine at the altar.

Outside, I took a few photographs, picked up my backpack, and began to hike back up the canyon. At the last turn in the trail, I looked back to see the bell tower, with its bell still in place, clearly outlined against the darkening valley.

When I returned to Batopilas, the entire town was in a festive mood. People were happy and dancing in the streets. Everyone had a smile and cheerful greeting. The wiring for the new electrical system was nearing completion, and rumors were flying that the mine was to reopen. In fact, the electricity was provided by a large diesel engine placed outside the mine entrance. A passable one-lane road had been constructed from La Bufa to Batopilas four years earlier, and now the lights were going to be turned on! Truly a great event. They say that Batopilas was the second town in Mexico to receive electricity, after Mexico City itself.

I didn't realize what lay ahead for me. Anticipating the all-day rough ride to Creel, which would begin at 4 a.m., I went to bed early. Not long after, a small band which I had photographed earlier began to play their melodies. By midnight the festival had reached a crescendo – the band strolled through the town playing merry tunes. By 2 a.m. their music was rousing but unrecognizable. When I boarded the bus at 4 a.m., I could still hear them on the other side of town. They sounded like a little wind-up band with most of the spring-propelled energy wound out. They played slower and slower, but still with heart. I'm sure the music lasted until dawn.

The bus ride back to Creel was, to say the least, "rough." Within twenty minutes of leaving town, the short bus was totally packed with people standing chest-to-back in the aisle. Fortunately, I had a square-foot section of a seat and somehow managed to fall asleep. When I awoke at dawn, we were out of the canyon and grinding slowly up the road, surrounded by pines.

Looking back on the experience, several questions still haunt me. Did the early padres come down from the high mountains into the fantastically rugged canyons to found Satevó, or did they come up along the river from the adjacent unexplored lowlands to the west? Who and when are still points of historical interest, but why is really the outstanding question.

When I first saw Satevó, I didn't know how really unique the building was. First of all, the structure is huge. A large church in a major city would be hard-pressed to be its equal. Secondly, the complexity of design is noteworthy. Satevó has three domes - one large, one medium, and a small one atop the bell tower. It also has four half-domes and a vaulted ceiling. I am not an expert by any means, but having visited at least a dozen colonial missions, I don't remember any as being as large or as impressive. Certainly, none have been set in as spectacular or rugged a natural environment!

To get the proper perspective on the age and remote wilderness setting of the mission at Satevó, imagine how John Wesley Powell would have felt on August 16, 1869, as he explored Bright Angel Creek in the Grand Canyon and found the well-preserved ruins of a grand church complete with bell tower. Imagine today, hiking to Phantom Ranch and exploring a fantastic ruin built before the Declaration of Independence was signed. The impact is startling.

In the end, the spirit of Satevo is what impressed me the most. Some folks may see only a crumbling old ruin surrounded by a dusty desert valley. What I experienced was the canyon, the river, and the cathedral; it was beautiful and is still a compelling mystery.

BATOPILAS CANYON
Courtesy of www.great-adventures.com

Just beyond Kirare, the landscape suddenly unfolds to reveal the breathtaking expanse of the Batopilas Canyon. The lure of precious metals attracted the first visitors to this remote canyon but even the most avaricious treasure hunter would have interrupted his hurried journey to contemplate the magnificent panorama. Dizzying switchbacks descend a steep-sided canyon wall for 6,000 ft. (1,800 m) to a tiny bridge that crosses the silvered snake of the Batopilas River. Directly across the chasm, the Seven Steps rise precipitously toward the heavens. Perhaps it was here that Father Sun and Mother Moon of Tarahumara legend, descended to earth to bless their children.

From its headwaters near Tonachi, the Batopilas River winds along a tortuous, horseshoe shaped path to join the Río San Ignacio. Both the river and the canyon take their name from the seventeenth century mining town that was once renowned as a prodigious source of Mexican silver. Although Spanish *adelantados* (advance guards) discovered native silver glistening in the river in 1632 and attracted a small community of miners, the town of San Pedro de Batopilas was not established until 1709 when the Batopilas mines were discovered. Today the town is known only as Batopilas, a word derived from the Tarahumara 'bachotigori' meaning 'near the river.'

Accompanying the early miners and settlers were Jesuit missionaries who followed the section of El Camino Real that passed through the Batopilas Canyon. In 1745, *The Nuestra Señora de Loreto de Yoquivo Mission* was built in Yoquivo, now a small logging community located about 7.5 miles (12 kms) to the northeast of Batopilas. A circuitous trail passes from Satevo to Yoquivo and then to La Bufa or Batopilas before following the main road by the river back to Satevó. Signs mark the dirt road to Yoquivo from the main road before reaching Batopilas. However, inquiries must be made to locate the trails that lead from La Bufa and Satevó to Yoquivo. Although it is also possible to begin a hike in Yoquivo, transportation between the nearest town, Guachochi and Yoquivo is unreliable and it is difficult to organize a trek from Yoquivo which has few services. Still, the path between Yoquivo and La Bufa is quite scenic and a strenuous option for the determined trekker.

Very little is known about the *Santo Angel Custodio de Satevó Mission* because a fire destroyed its buildings and original parchment records in the late 1800s. Only the

church, *Iglesia San Miguel de Satevó*, remains and is estimated to have been constructed between 1760 and 1764. Today, there are no Tarahumara living in the small community at Satevo but the size of the church and its location at the widest part of the Batopilas River indicate that it was once a fairly large Tarahumara community. Satevo is an easy 3.7 mile (6 km) walk from Batopilas along a graded dirt road that eventually comes to a bend where the glistening, whitewashed contours of the solitary church seem to materialize amidst the vastness of a wide, blue sky and the greenery of canyon walls interspersed with rocky outcroppings. There is a graceful, three-tiered bell tower but it cannot yet be seen because the structure blends with the surrounding red and ochre hills from which its bricks were made. On closer inspection, the church boasts 3 domes (a large main dome above the sanctuary, a medium-sized dome over the library that once connected the church with the monastery, and a small dome above the bell tower) and 4 half-domes that have all been plastered except for the bell tower dome. Some of the exterior walls have also been plastered but the original building was built entirely of fired brick and mortar. Bricks were molded,

Patracinio Lopez, master violin maker, at Semana Santa festival - 1997.

dried and fired on site while calspar taken from the silver mines was burned with river sand to make a durable limestone and sand mortar. Evidence of an oven for this purpose can still be seen to the side of the church. The process required large amounts of water for steam and children passing by carrying their water buckets remind us how little the rhythms of everyday life have changed deep in the barrancas.

Large wooden doors open to expose simple wooden benches on a stark stone floor. Wherever the pavement is uneven marks the presence of graves, some of which are inscribed with names and dates. Locals say that the unmarked grave at the very threshold of the church is that of an unnamed architect who fell to his death while placing the last brick in the church. However, one of the most interesting features of this church is the dominance of statues and portraits of the Virgin on the altar while the image of the Sacred Heart of Jesus sits unobtrusively to the side of the altar rather like an afterthought. The wall behind the altar is painted with blue pigment taken from a nearby copper mine but striated watermarks hint at an ongoing struggle with time and nature. There are other signs of

The author, Richard D. Fisher, exploring the Sierra Madre - 1986.

accompanies the river into town. It was constructed by Shepherd mainly to generate the hydroelectric power needed to light the mines and to operate the foundry that he built to eliminate the expense of shipping raw ore out of the canyon. Today, the aqueduct remains the town's source of water and electricity. It is an easy, pleasant walk along the 3.5 mile trail that follows the aqueduct to the old dam. Once a part of El Camino Real, there are sections where the original stone pavement can still be seen. The path passes some small farms growing fruits and vegetables as well as a few swimming holes in the river that are refreshing when water levels are safe. On arriving at the main bridge into town (also built by Shepherd), it is impossible not to notice the great stone wall that anchors a huge tescalama tree with sinuous roots weaving in and out of the stones. Beyond this wall is the ruin of Shepherd's adobe mansion, the Hacienda San Miguel. It is now densely overgrown with striking purple bougainvillea and a jumble of shrubs and bushes. Instead of using the main bridge to visit the mansion, most visitors like to cross the swaying footbridge providing much amusement to the more agile locals.

Although mining continues in Batopilas on a modest scale, the old mines now generate interest among travelers allowing the little town to capitalize on a growing industry in tourism. Many mines around Batopilas can be visited with some lovely views along the way. Across from the Hacienda San Miguel, a path leads steeply up the side of the canyon to the abandoned Penasquito silver mine. This 4.5 mile loop trail terminates at the southern part of the town.

deterioration: faded wall drawings and inscriptions, crumbling brick arches and gaping cracks in the walls. Still, this old mission church stands with a compelling dignity offering the visitor a shaded respite from the scorching sun. In his book *The Silver Magnet* Grant Shepherd described his family's first picnic at Satevó where they encountered the remains of holy men strewn on the floor of the crypt located below the raised altar. It is not known if the vandals found the silver and gold that they were looking for but it is unlikely that they discovered one of its subtle treasures, its superb acoustics. A visit to the *Iglesias San Miguel de Satevo* is complete only when music fills the air, restoring the very soul of this lovely church.

The prolific mines of Batopilas Canyon have been the source of numerous personal fortunes. During the Spanish era, Don Angel Bustamante accumulated enough wealth to purchase a marquisate to become the Marquis de Batopilas. His local residence was the eighteenth century, La Casa Barffuson, one of the oldest buildings in Batopilas. The War of Independence from Spain brought about the expulsion of many Spaniards and mining production ceased for about 20 years. In the 1840s, Mexican Dona Natividad Ortiz and her associate Nepomuceno Avila reopened some of the closed mines and located several new veins. By the 1860s, the Americans began to arrive in Batopilas, the most notable being Alexander Shepherd, the last governor of Washington DC, who acquired his initial holdings in 1880. Much of Batopilas today reflects the work of this man who was responsible for the construction of most of the existing building and facilities.

The town of Batopilas is unusually placed along a narrow stretch of the river. It is three miles long and confined in width. To the north of Batopilas, a stone aqueduct

La Bufa Canyon Bridge.

Another path starts at the south of Batopilas and enters a wide arroyo that forks to Arroyo Camuchin to the right and Arroyo Taunas to the left. Arroyo Camuchin is the gentler path that passes some small ranchos and through a thorn forest to the overgrown adobe ruins of a Camuchin community about 3 miles from town. Just beyond the ruins is the entrance to the Tescalama mine named for the unique fig tree at its entrance while across the arroyo, the Rosa Linda mine can be seen. Arroyo Taunas leads to a very scenic overlook after a steep climb out of the arroyo. Old mines can also be seen along this trail that requires 5 to 6 hrs. of hiking. A good variety of birds and butterflies are found in both arroyos and lesser long-nosed bats, *Leptonycteris curasoae*, live in many of the abandoned mines. Warm temperatures and the availability of food support large groups, especially in the summer months when the females gather in 'maternity colonies' where they give birth and raise their young.

Just beyond Kirare, Batopilas Canyon. Photo courtesy of Nathan P. Ervin – Pedro Palma Tours.

Some of the best views around Batopilas are found in Yerba Anise and Cerro Colorado, tiny villages high on the mesas above the town. The path to Yerba Anise begins at the trailhead across from the Hacienda San Miguel but continues steeply up the canyon past the turnoff to the Penasquito mine. This is a favorite hike for naturalists because birdlife and wildflowers are plentiful. Cerro Colorado is a small mining community that is about 5 hrs. walk from Batopilas. Some trekkers incorporate the Cerro Colorado hike into a multi-day trek to Urique or to El Tejaban. The trail begins to the north of town at Las Juntas just beyond the old dam. A newly graded road follows the Arroyo Cerro Colorado for about 2 hrs. before the road ascends steeply through oak forests. The little hamlet of Cerro Colorado is located on the mesa in the shadow of the peak bearing the same name. From Cerro Colorado, there are several trails to the town of Urique. The most direct passes up to Yesca and then down to Urique. A longer route follows the ridge between the Batopilas and Urique Canyons before dipping into the Urique Canyon where the trail alongside the river is taken northwards to Urique. These multi-day treks should only be attempted with the assistance of an experienced guide.

Best Times to Go: Exploring the Batopilas Canyon is best during the dry, cooler months of November to April. May is already quite hot and summer months bring rain and humidity. When planning a trip, remember that the rim can be very cold from December to February.

Getting There: Batopilas is most popularly accessed from Creel along a road that is paved all the way to Guachochi. At Samachique, about 44 miles (70 kms) from Creel, road signs indicate the turnoff to Batopilas. It is an unpaved road that passes through Kirare before descending the canyon to follow the river to the town of Batopilas 34 miles (55 kms.) away.

Buses depart from Creel to Batopilas on Tuesdays, Thursdays and Saturdays and return on Wednesdays, Fridays and Mondays. Hotels in Creel maintain current bus information and can also arrange for private transportation that may be more convenient.

Clothing/Gear: Warm weather clothing, good walking shoes, brimmed hat, insect repellent, and sunscreen are adequate for exploring the Batopilas area. In winter months, bring a light sweater for cool evenings. Additionally, backcountry trekkers need backpacking gear, an emergency first aid kit, snake bite kit, compass, flashlight and water filter. Personal toiletries, batteries for flashlights and cameras and film are not available in Batopilas.

General Information: Most of the accommodations in Batopilas are very modest and there are only a handful of restaurants and eating places. Margarita (known for her hotels in Creel) is currently building a hotel/restaurant complex to the north of town that is expected to be open for guests by Summer 2000. There is one four star hotel, the now famous "Skip's" Riverside Lodge which is on a package with the Copper Canyon Lodge near Creel. Skip McWilliam's Copper Canyon Lodges are now legendary for their very high quality food and service. These reservations are prearranged only. You can make reservations at www.coppercanyonlodges.com. All hotels can help with hiring a guide or organizing an overnight trek.

Plan to be incommunicado during a visit to Batopilas. The public telephone does not always work and the postal service is unreliable. Also, there are no banks so travelers should have enough pesos or US dollars on hand for the duration of their visit as cash is required for all transactions.

Backpacking The Barrancas

General Information

I waited many years before planning my first major expedition into the heart of the Sierra Madre barranca country. Everything I had read or heard led me to believe that any backpacking adventure was doomed from the start to incredible hardship, danger, and probable disaster. I interviewed dozens of backpackers who had returned from expeditions into the canyons. They all told stories that were similar to magazine articles I had read. Most returning adventurers related the navigation was difficult, if not impossible, that there were many real hazards, and that none of them had been able to achieve their goals.

This last point was what really held me back. I didn't mind, as one writer put it, "plunging over a cliff and grabbing hold of a unique variety of poison ivy with thorns to save my life." I had had plenty of similar experiences in Arizona's canyons of the Mogollon Rim. A writer from a major national magazine wrote that he "had to slither under river side boulders like a snake, climb over slippery cliffs like a water spider, swim through long pools like a fish and hack through a cactus jungle like a safari guide with his bare hands." Another writer said that "the maps had been made by a pilot sketching with one hand while he peered between the clouds for a glimpse of the landscape below." These are good descriptions by professional writers (natural habitat - Northeastern U.S.) trying to perform the fine art of Canyoneering without training or practice. What really concerned me was that nobody was able to achieve their expedition objectives. I knew from experience that it was easy to waste two weeks wandering from goat pasture to goat pasture, or spending several days trying to get through a couple of miles of canyon bottom.

The canyon bottom contains the most spectacular scenery, so the best plans is to pack to the river by an established goat trail and day hike the narrows. If you want to explore two areas, twenty miles apart, it is easier to explore one area and return to the rim, then hike or get a ride around to the next area and descend once more into the canyon.

Unlike the mountains and canyons of the United States, people live all over the steep barranca country. Consequently, almost all trails lead to pastures for their livestock. Most travel in the barrancas is not from one scenic destination to another, but from home to pasture and pasture to pasture. Very few direct trails exist anywhere in the canyon country. However, a few major trails do exist in several areas, running from rim to rim.

Guides

Guides are sometimes available for backpacking trips. Local men will occasionally take a few days off to lead a group through the Sierras. There are no professional wilderness guides as there are in the U.S. or Nepal. If you hire a guide, remember that he is really a family man and a farmer. He may lead you for a couple of days, but soon his concern for his family will draw him home. He may not tell you that he is leaving. Several large parties have been left stranded deep in the mountains. These backpackers didn't understand that a responsible family man may not be a dependable guide. Should you hire a guide, I recommend that you have a short trip in mind and realize that your guide may not go all the way with you. You are also responsible for providing his food.

Seasons

Recommended season for backpacking trips is January through March, which is the cool, dry period of the year.

BASASEACHIC FALLS NATIONAL PARK

Long the subject of rumors and myths in Mexico's romantic Sierra Madre Mountains, Basaseachi Falls is today a reality to the modern adventure traveler. Truly one of the world's great waterfalls, Cascada de Basaseachi is without question the single most impressive land feature between the Grand Canyon of the Colorado and the volcanoes of south-central Mexico. The national park protects not only the great 806-foot falls, but at least five other cascades and one of the most spectacular canyons in the hemisphere. Recently made accessible by a well-maintained road, this natural area beckons to the adventurous explorer.

The only officially designated national park in the northern Sierra Madre, Basaseachi Falls represents one of Mexico's and the world's greatest natural treasures.

The name Basaseachi is Tarahumaran in origin, and means place of the cascade" or "of the coyotes." It is interesting to note that no Tarahumara word ends in a consonant. The "c" on the end of Basaseachic is added to Mexicanize the Indian word. I feel that it is appropriate that the falls itself be called Basaseachi, and the national park, Basaseachic. There are no Tarahumara living in this area today.

Carl Lumholtz reported in 1890 that the mining experts at Piños Altos measured the falls at 980 feet. Recently, the leading authority on Sierra Madre geography and climate, Robert H. Schmidt, Jr., Ph.D., measured the falls precisely at 806 ft. (246 m). This would make Basaseachi the twentieth highest waterfall in the world, fourth highest in North America, and the highest in Mexico.

Basaseachi is in an alpine area at an elevation of 6,600 ft. (2,000 m). This area receives an average of 25 inches (63.5 cm) of rainfall annually, of which 72 percent falls during the summer months. The flow over the falls ranges from one drop at a time in the plunge pool below during the driest years to 3,510 cfs at the highwater mark.

The Trail To The Base Of The Falls

One of the most interesting and beautiful hikes in the Sierra Madre is to the base of Basaseachi Falls.

In the approximate center of the village of Basaseachi, turn south and travel down the gravel road to the parking lot near the top of the falls. At the parking lot, the trail continues southwest and crosses the Basaseachi Creek on an elevated bridge. From the bridge the trail winds through a pretty forest by the creek to the top of the falls.

Approximately 50 yards upstream of the falls, cross the stream again. At this point look for the trail climbing steeply up the east ridge to a saddle. At this low saddle the trail drops approximately 1,000 feet steeply to the base of the falls. Upon reaching the bottom, stay on the east side of the creek to reach the actual plunge pool below the falls.

The trail has been newly renovated (1986) and has steps in some areas. This is a fantastically beautiful hike. Allow ½ to 1 hour descent and 1½ hours ascent time.

Backpacking Destinations

Other areas of this guidebook cover, in a general way, some of the hikes listed below. They are listed here again due to their importance, along with some new areas. The following is a system of rating to describe difficulty. "A" – very difficult, challenging, "B" – moderately difficult and "C" – easy. Plus or minus indicates slight variations.

Once you have completed four or five of these trips, you will have enough experience to branch out on your own. This guidebook highlights dozens of other interesting areas with basic map and destination information, provided you study the material.

Hike #1 — Basaséachic Falls, rated "C"+. This is to the bottom of the falls and is detailed in the Basaséachic Falls N.P. section. Day hike — 4 hours round trip.

Hike #2 — Barranca del Cobre-Tejabán is the Divisadero (overlook) of the Copper Canyon proper. This hike is rated a "B"+ multi-day expedition. The hike begins near the sawmill in Cusárare and crosses several high ridges before reaching the site of Tejabán. Although not a difficult hike per se, crossing the mountainous terrain to the rim can be exasperating. There is a maze of logging roads and trails where one can easily get lost. Therefore, a guide is highly recommended. With topographical maps in hand, I failed to locate Tejabán on three separate attempts, so I hired a guide with a pack horse. It took one full day on foot to reach the rim, making all the correct turns.

On my second trip to this incredible scenic overlook, I took a 4x4 Chevy Blazer. Even with previous experience, I made some wrong turns but was able to backtrack and find the correct route. There are two very rugged stretches of "road" as the track descends the mountain to the mesa where a Tejabán village formerly was.

At one time there was a hotel on the rim. The very first guest left a fire burning in the stove when he went for a late afternoon hike. The hotel burned down and was never rebuilt. A former governor of Chihuahua also had a summer home situated there. Today there are only ruins.

Historically, there was a major underground copper mine at the bottom of the canyon below Tejabán. It is still worked by hand, extracting some gold and possibly silver. Several *mestizo* families live near the mine and exchange small nuggets of white gold for the essentials of life.

On the rim above are several Tarahumara families. Young men are occasionally available to act as guides. From Tejabán the trail begins as an abandoned 4x4 road, then turns into a trail about a mile down near the ruins of a cabin. This road starts off in a west-northwest direction, and the trail that begins near the cabin reverses direction towards the southeast. At this point the trail descends sharply in an incredibly steep series of unending switchbacks. A half-mile or so below the cabin ruins is a seep (purify all water). Another half-mile below the seep is a junction. The left turn is for brave pedestrians and the right fork is for brave mule trains. The left turn descends steeply to the mine site. Although I haven't taken the mule trail, I assume that it descends at a slightly less challenging rate. It reaches the river about a mile downstream from the mine.

At the river is an amazing array of manmade and natural features. The details will be kept for your exploration and to the personal satisfaction of discovery. Plan to spend at least two nights enjoying this unique section of canyon.

It is possible to hike up to the opposite rim and reach a road leading to Samachique. This is a lonely mesa with little traffic. If the entire hike is made from Cusárare to Samachique, you will have covered one of the most interesting sections of the Camino Real. This "royal road" was a route that was used to bring silver from Batopilas to Chihuahua City. It is by far one of the most intriguing backcountry areas in the Copper Canyon-Sierra de Tarahumara region.

It is approximately 16 miles from Cusárare to Tejabán, one mile more to the end of the road at the cabin ruins, and from there two miles to the bottom of the canyon.

Tejabán is lovely in September to November and March thru April. The copper mine area is ideal November to March. Remember that Tejabán on the rim is a cool to cold 7,000 ft. and the mine site a warm-to-hot 3,000 ft. All in all the best season for travel to the are is winter.

(Caution) Tejabán has no drinking water available during the dry season; I want to emphasize again that a local or experienced guide is highly recommended for this particular expedition.

Hike #3 — The Barranca de Sinforosa. Rated "A" it is accessible through the remote town of Guachochi. Upon arriving in Guachochi, I asked to be take to the Cumbres de Sinforosa. It cost twenty dollars in cab fare to travel the ten mile road to the canyon rim. The rim overlook was spectacular! The trail to the bottom was the steepest I had ever been on. This barranca is deeper than the Grand Canyon of the Colorado. I would have been well advised to make the descent in two days. On the floor of the canyon, I explored the small village of an abandoned silver mine. There are beautiful narrows both up and down stream, and two major side canyons, each with waterfalls several miles apart on either side of the trail.

Further information on the Sinforosa Canyon is available in the "Lost Cathedral" section of this guidebook. The best months are December to February.

Hike #4 — Batopilas to Urique, rated "A/B" overnight. This is probably the most famous hike in the barrancas country. It is not, however, one of my favorite trips. I feel that the time involved in this rugged trip is better spent elsewhere. The trail leaves the main canyon at La Junta, passes through Cerro Colorado, and turns toward the northwest over a high ridge which divides the Batopilas-Urique Canyons. The Tarahumara have been replaced by Mexicans along much of this route. I recommend a guide from Batopilas, as there is a maze of trails and options along this route. Although the trip can be made over two nights, I recommend planning for at least four nights, since it is necessary to spend one or two nights in Urique waiting for a ride out to the train. A mail supply truck leaves Urique twice a week for the train station of Bahuichivo. This backpack is primarily for those in search of exercise, because it has very few redeeming values.

Topographical Maps
Barranca del Cobre - Barranca de Sinforosa
America's 1:250,000 San Juanito (1973) Hoja NG13-1
America's 1:250,000 Guachochi (1973) Hoja NG13-4

The Satellite

by Richard D. Fisher

Relaxing in my Lazyboy chair watching the evening news in late October, I was waiting for the evening weather - one of my passions. I had just about drifted off to sleep when the satellite image of the American southwest flashed on screen. I wasn't expecting much due to the prolonged seven-year drought. What I saw made me sit bolt upright in my chair. Two huge storms were about to converge over the northern Sierra Madre.

I listened intently to the report of two unseasonable and uniquely strong fronts that were making a bull's-eye on Chihuahua's Copper Canyon region. One was a very rare October storm originating in the Gulf of Alaska and the other was a dissipating hurricane traveling almost from Hawaii. The two storms were wandering in from the north and west toward one of the most rugged and precipitous canyonlands on earth. The Northern front was cold and deep, the southern storm warm and pregnant with tropical moisture. An explosive situation.

A few years earlier my good friend, Carlos Lazcano, had told me of newly "discovered" waterfalls thought to be the highest in Mexico. Located in the Candameña Canyon near Basaseachi Falls (the previous official record holder), the newly named "Cascada Piedra Volada" (Flying Stone Waterfalls) had been dry most of the time since its discovery. I had been told that the setting of this remote waterfall was exceedingly exotic. I had always wanted to see it, and realized that this was going to be my best chance.

Carlos had told me that the falls were first spotted in 1995 when a group of Mexican climbers did the first ascent of Mexico's highest rock face called El Giante (885 meters or 2,900 feet). Shortly thereafter the falls was measured at 453 meters (1,485 feet).

The Candameña Canyon has perhaps the very best multi-day big wall climbing in Mexico, with El Giante being the premier challenge. It is from this very difficult vantage point that climbers can actually see down into the tunnel that the falls cuts deep into the bedrock and that has hidden this treasure of the Sierra Madre for so long.

I had not planned a trip to the canyons so I made a quick mental inventory of my current resources - at the moment finances meager, vehicle aged, my physical fitness sadly deficient. Oh well, so it's not a perfect world . I threw some clothes in the back of the van, bought a few supplies, and most importantly phoned up my friends at the Dept. of Tourism for some pointers. Carlos recommended a guide in the small town of Huajumar, and added that there were rudimentary hotel accommodations available.

In November 1984, I had the good fortune to be at Basaseachi Falls when another similar storm system hit the

western wall of the Sierra. At the time I did not know that it was a rare and unique event. I have managed to get a photo from the 1984 flood on several book and magazine covers, and now hoped to recapture some of the drama and youthful excitement of a challenge as the millennium year was drawing to a close.

Entering the village of Huajumar, I found that Paco Camunez, the guide recommended to me, lived in the very first house I came upon. I met him walking down the one lane gravel road with a few friends just as the last rays of the sun brilliantly lit up the storm clouds racing in from the west.

Paco guided me to a rather modest concrete block hotel. We arranged to go to the falls the next morning. That night, in the small drafty hotel, I was very glad for a tepid shower and warm bed. The storm outside was blowing the rain drops like steel slivers against the outside walls. I dreamed of the falls that I had never seen, not even in a photograph. I was to see the highest falls in Mexico come morning light–in full flood, or so I imagined.

Paco came by at mid-morning. In the fog we drove the very rough 4x4 track about 10 km. (7 miles) toward the falls. It was another 2 km. walk to the overlook. When we arrived about noon the entire canyon was still shrouded in a heavy mist - a rare event. I could hear the falls booming across the gorge, but couldn't see even a few yards into what I knew was a great abyss.

We stood around in the drizzle for about an hour when Paco decided to start a fire to warm us. A little later, with a sudden rush of air, the canyon cleared. I had fantasized about photographing the falls in the mist. It was not to be. Totally obscured one moment and seconds later the air was crystal clear. I was so stunned by the sudden change of events and the vista of the falls itself, I must have fumbled with the tripods and cameras for at least ten minutes before I got off a first shot.

The scene was a shocker, even to someone used to rugged canyon panoramas. Well, as they say, it was like Peru or Nepal or this or that place, but actually it was like the most romantic and legendary Sierra Madre of my wildest imagination. Across the canyon, in addition to the waterfall, are two distinctive vertical walls accented by the falls and divided dead center by a second major side canyon filled with cascades. What a wild and magnificent view. It was like Tata Dios, the Tarahumara father god, had thrown a handful of crystals and precious stones on to the velvet green of the background forest.

Huge pine trees studded the cliffs like tiny sprigs of moss clinging to the great walls. The Candameña creek raging in the depths, almost lost and tiny to view, but very audible, lay two thousand feet directly below.

My eyes felt like a zoom lens. It was hard to focus. A close look at something and my eyes wanted to skip to another feature and zoom out to get perspective. How big was this feature? How far away was that feature? Almost no way to get a perspective. Fortunately I had my work cut out for me and I settled down to an intense five hour session of photography. No more need to try to take it all in as a whole or as details–just work the cameras.

Across the canyon the primary point of interest was booming, as waves of flood water threw themselves into thin air. At times I could follow a wave from top to bottom. Later in the afternoon the evening wind blowing up canyon would fight the falling water fiercely, trying to push the waves back toward the sky. The single thread of white water was actually a torrent falling through the air from the lip of a small incised canyon, and then entering a tube or tunnel in the side of the cliff. This tube, which is open slightly on the down stream western face, actually serves to funnel the upstream winds to confront the falling water. It creates an adversarial relationship between the air and water, unique in all the world at Cascada Piedra Volada.

It was one of those moments when life seems to happen in slow motion and yet, when it is over, it was only an instant in time. I wish I had done so much more, looked more comprehensively, experienced more intensely. Actually, for me to have done more was probably impossible; I was exhausted.

As I worked into those magical twilight hours, my mind unconsciously began singing the Moody Blues song "Nights in White Satin". It was one of those things that you aren't conscious of when it happens; it's just there, in your mind over and over again.

Shadows on the ground,
Never make a sound,
Fading away in the sunset...
I can see it all, from this great height,
I can feel the sun, slipping out of sight.
And the world goes on, through the night.
Twilight time to dream awhile,
Unveils the deepening blue.
As fantasy strides, over colorful skies,
The form disappearing from view.
In twilight time, dream with me awhile.
A nightingale plays a dark mellow phrase,
Of notes that are so rich and true.
An aerial display by the firefly brigade,
Dancing to tunes no one knew.
In twilight time, dream with me awhile.
Nights in white satin, never reaching the end,
Letters I've written, never meaning to send.
Beauty I'd always missed, with these eyes before,
Just what the truth is, I can't say anymore.
'Cos I love you, yes I love you,
Oh how I love you, oh how I love you.
Breathe deep the gathering gloom,
Watch lights fade from every room...
Impassioned lovers wrestle as one,
Lonely man cries for love and has none...
Cold hearted orb that rules the night,
Removes the colours from our sight.
Red is grey and yellow white,
But we decide which is right.
And which is an illusion???

As I emerged from my working dream state, Paco was very patiently waiting. We talked a bit in my broken Spanish. I didn't know the Spanish word for satellite. I explained that a machine high in the sky had forecast this rare event three days in advance. When he understood what I was trying to communicate, he became very animated. Normally Paco is a quiet and reserved man, but clearly intelligent. "Satelite tres dias antes?" he inquired. "Mas o meno (more or less)," I replied. He was flabbergasted that anyone would be interested in weather events in this canyon, much less put the information to practical use.

The next day I headed out to meet Carlos and explore the Naica Mine Crystals. I reflected, I'll never get rich living this way. My vehicle just got a lot older on those Sierra Madre roads and one three mile hike during a week of tough driving will never get me in physical shape. It's a rough life, but I suppose somebody's gotta live it!

I express my gratitude to Carlos Lazcano for inviting me to participate in exploring three areas described in this millennium chapter: the ruins of the Huapoca Canyon, the Naica Crystal Cave and the Piedra Volada Waterfalls. I would also like to thank David Teschner for his extensive support, both material and personal, enabling the successful completion of this work.

Rainfall and Temperature Charts for the Barrancas Country

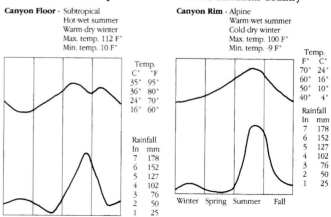

Canyon Floor - Subtropical
Hot-wet summer
Warm-dry winter
Max. temp. 112 F°
Min. temp. 10 F°

Canyon Rim - Alpine
Warm-wet summer
Cold-dry winter
Max. temp. 100 F°
Min. temp. -9 F°

Canyon Cultures
of the Ancient Spirits

Canyon Tarahumara – Semana Santa

Semana Santa

Virgin of Guadalupe Festival
Dia Doce de Diciembre

Canyon Tarahumara – Semana Santa

Ghost Dancers

Canyon of the Ancient Spirits

Copper Canyon Family Eco and Cultural Tourism
Over 175 tons of food and supplies delivered since 1992

Crystal Cave of the Giants

Naica Mine Chihuahua

David L. Teschner

Eyes of the Crystal
Queen and King

CHIHUAHUA
LA PUERTA DE ENTRADA A LA SIERRA TARAHUMARA

En 1872 Albert Kinsey Owen, un americano soñador de utopías, concibió la idea de construir una vía de ferrocarril entre la Bahía de Topolobampo en Sinaloa y la Ciudad de Kansas. Dicha ruta acortaría la ya existente, desde San Francisco a la Ciudad de Kansas, más de 640 Km.

Esta ruta ferroviaria se inauguró casi un siglo después, el 23 de noviembre de 1961. Se tuvieron que superar grandes dificultades físicas, políticas y económicas; se tomó más de 20 años para tender el último tramo de vía que baja 2,135 metros en 195 Km. Fue financiado y dirigido por el gobierno mexicano. Muchos nombres famosos, tanto de la industria ferrocarrilera como de la historia misma, se escucharon a través de los años. Enrique C. Creel, Ulises S. Grant, Don Porfirio Díaz, Almirante George W. Dewey, Pancho Villa, Arthur Stilwell, Benjamín F. Jonson, Adolfo López Mateos y los indios tarahumares fueron parte importante en la realización de este sueño.

Se requirió de toda la destreza técnica disponible, posterior a la Segunda Guerra Mundial, para poder terminar las secciones de la Sierra y las Barrancas. El primer gran logro técnico, literalmente cuesta arriba, se encuentra en la hermosa Estación Témoris. La vía cruza dos puentes curvos, los cuales invierten la dirección de ascenso. Después de cruzar el Río Septentrión y un tributario sobre estos puentes, la vía asciende mediante círculos cada vez más altos hasta desaparecer en un largo túnel. El segundo gran logro técnico se encuentra cerca de la Estación Pitorreal, unos 64 Km. al oeste de Creel. Aquí la vía hace un círculo completo. *Este es uno de sólo tres prodigios de ingeniería ferroviaria de esta naturaleza en Norteamérica.*

El viaje en ferrocarril de Los Mochis a Chihuahua cuenta con 36 puentes grandes y 87 túneles, añadiendo así emoción a los 480 Km. de vía que sigue un camino tortuoso desde el nivel del mar hasta una altura máxima de 2,439 msnm en su punto más alto.

Saliendo de Los Mochis cerca del amanecer, el tren pasa por la zona árida de Sinaloa. Esta zona se caracteriza por ser una jungla de cactus y arbustos espinosos, siendo una región de apariencia exótica. En la estación Agua Caliente, el tren cruza el Río Fuerte sobre un gran puente para adentrarse en las faldas de la Sierra. A partir de este punto, la vía inicia un ascenso más inclinado.

Poco después el tren cruza el espectacular puente elevado sobre el Río Chínipas. No deje de ver hacia abajo mientras cruza este puente de caballete para poder apreciar el puente colgante para peatones y animales suspendido sobre el río.

Después de dicho puente, el tren pasa por numerosos túneles y entra realmente en la zona de las barrancas. En la Barranca de Septentrión se puede admirar muchos pozos y cascadas en el río del mismo nombre. El clima aquí es tropical y pródigo en árboles de plátano, mango y palmas. En la Estación Témoris la vía cruza el río, sube en forma circular y se interna en un túnel. Observará un cambio radical en el paisaje una vez que salga de los túneles en la parte superior de esta alta "rampa". Esta parte superior de la barranca tiene un cierto aire alpino, con su bosque de encinos y pinos.

El tren continúa su inclinado ascenso por la barranca hasta llegar al Divisadero. Seguramente notará más frío el aire al desembarcar para poder echar una breve mirada, de unos 10 minutos, a la Barranca del Cobre. La vía continúa cuesta arriba pero el paisaje cambia, de ser barranca a montaña. Se pueden admirar paisajes de montañas y cordilleras arboladas hasta una distancia de unos 150 Km.

Entre Creel y La Junta, la vía continúa por un paisaje montañoso, entremezclado con hermosos valles, cada uno con su pintoresco pueblito.

En La Junta, el tren desciende hacia las planicies de Chihuahua. Estas hermosas praderas se ven interrumpidas por aisladas sierras y granjas Menonitas. Descanse y saboree la vista de esta pacífica zona, mientras se recupera de la emoción de las barrancas, que desaparecen en el ocaso.

Es sorprendente que el viaje de Los Mochis a Chihuahua pueda hacerse en un solo día. En el "Choo-Choo a Chihuahua", como cariñosamente lo llama un amigo mío, disfrutará algunos de los paisajes más espectaculares del mundo en la comodidad de un moderno vagón de ferrocarril. Realmente es una de las más emocionantes excursiones del mundo, accesible para personas de todas las edades.

NOTA IMPORTANTE: Durante el invierno cuando los días son más cortos, a los usuarios del tren económico se les recomienda que inicien el viaje en Los Mochis, ya que la parte más espectacular del recorrido se localiza entre las estaciones de Témoris y Creel y si empiezan el recorrido en la ciudad de Chihuahua no les alcanzará la luz del día para apreciar el hermosísimo paisaje. **A los usuarios del tren de primera clase no les sucederá esto**, dado que, sale de la ciudad de Chihuahua una hora más temprano (6:00 a.m.) y no para en todas las estaciones, completando el recorrido en menos tiempo.

PRINCIPALES PUNTOS DE INTERES
POR EL RECORRIDO DEL FERROCARRIL MEXICANO "CHEPE"

Al utilizar esta bitácora, observe los postes indicadores de kilómetros instalados junto a la vía. Cada túnel está numerado en la parte derecha, al ingresar al mismo.

941.0 Km. – Topolobampo. Después de haber visto la bahía natural de Topolobampo, el proyecto de Albert K. Owen de establecer una visionaria colonia agrícola tomó dimensiones reales. Él visualizaba un gran puerto marítimo internacional, para intercambio comercial entre la Cuenca del Pacífico y los Estados Unidos. El puerto se enlazaría con el medio oeste norteamericano mediante un ferrocarril que cruzara la escarpada Sierra Madre Occidental de México. La vía acortaría la distancia entre la Ciudad de Kansas y el Pacífico en unos 640 Km.

920.4 Km. – Los Mochis, cuyo nombre significa "lugar de tortugas" en el dialecto mayo está unos 32 Km. al oeste de Topolobampo. Los Mochis fue fundada en 1903 por el norteamericano Benjamín Jonson, el cual estableció grandes cañaverales y un ingenio azucarero. Actualmente se cultiva caña de azúcar, alfalfa, algodón, arroz y verduras de invierno entre otras, en más de 300,000 hectáreas.

882.0 Km. Estación San Blas (Sufragio). Altitud: 32 msnm. En San Blas, el Ferrocarril Chihuahua al Pacífico se encuentra con el Ferrocarril Pacífico, el cual va de Nogales a Guadalajara.

838.6 Km. El Fuerte fue fundado a fines del siglo XVI, cuando el virrey de la Nueva España ordenó la construcción de un fuerte para proteger a los colonizadores de los ataques de los indios. Aquí se localizan varios hoteles con excelente servicios.

781.0 Km. Puente sobre el Río Fuerte. Este puente mide 500 metros, es el más largo del recorrido. Tenga lista su cámara.

780.0 Km. Agua Caliente, poblado y estación ferroviaria.

754.0 Km. Este puente se extiende sobre el Río Chínipas y es el más alto de este recorrido, con una altura de 108 metros sobre el río y unos 260 de longitud. A su derecha, hacia el sur, podrá ver un puente peatonal colgante. Se llama el Puente Peatonal Chínipas.

739.0 Km. Túneles 79-82 Estos túneles van de los 38 a los 238 metros de longitud.

736.0 Km. Santo Niño Es un pequeño campamento y apartadero ferrocarrilero. La mayoría de los furgones son vagones para tropas de la Segunda Guerra Mundial, utilizados actualmente como hogares para los trabajadores ferrocarrileros.

722.4 Km. Túneles 71-78 Van de 20 a 177 metros de largo.

721.0 Km. Túneles 66-70 De 93 a 195 metros en longitud.

718.0 Km. A la izquierda se encuentra uno de los maizales más empinados del mundo. Se ha realizado la quema de árboles y vegetación.

717.0 Km. Túneles 64 (268 m) y **65** (137 m)

711.0 Km. Túneles 53-63. La longitud de los mismos va de 42 a 200 metros.

710.8 Km. Puente Mina Plata de 106 metros.

710.4 Km. Túnel 52 de 312 metros.

710.0 Km. Túnel 51 de 348 metros de longitud

709.0 Km. Túnel 50 mide 126 metros

707.1 Km. Al acercarnos a Témoris (altitud 1,026 m), la vía cruza el **Puente Santa Bárbara** (218 m) sobre el Río Mina Plata, un tributario del Río Septentrión. Los Ríos Septentrión y Chínipas se unen para formar el Río Fuerte.

707.0 Km. El pueblo de **Témoris** se localiza en una meseta ubicada más arriba de la estación. El pueblo fue fundado en 1677 por dos misioneros jesuitas que lo nombraron Santa María Magdalena de Témoris. Témoris era el nombre de un grupo indígena que habitaba la región.

704.8 Km. Túnel 49, conocido como La Pera, de 937 m de largo.

704.0 Km. La placa conmemorativa, construida para la inauguración del ferrocarril por el Presidente López Mateos, el 24 de Noviembre de 1961, fue elaborada con rieles de 6.5 metros de largo y letras de más de medio metro de altura. Aquí se puede apreciar el descenso de la vía mediante curvas y círculos. En determinado punto, se pueden ver tres niveles de vía. También se pueden ver el **Túnel 49** y las espectaculares cascadas gemelas.

703.0 Km. Túneles 48 (190 m) y **47** (35 m).

701.0 Km. Túneles 46 (817 m), **45** (202 m), **44** (146 m) y **43** (177 m).

695.8 Km. Entre los kilómetros 695.8 y 662.6 se encuentran muchos puentes y túneles, con una longitud de 67 a 336 metros.

668.1 Km. Bahuichivo Bájese aquí para ir a Cerocahui, a uno de los más espectaculares miradores de la Barranca y el pueblo de Urique y a disfrutar de los bastante buenos hoteles que se han establecido entre Bahuichivo, Cerocahui y la Mesa de Arturo.

662.0 Km. Cuiteco, un encantador pueblito, con una iglesia y numerosas edificaciones antiguas, fue originalmente un asentamiento indígena. En 1684, el famoso misionero jesuita, Padre Salvatierra, fundó aquí una misión. "Cuiteco" se deriva de una palabra tarahumara que significa "cerro en forma de cuello". La zona es famosa por su producción de manzanas. Se pueden apreciar muchos huertos en el valle y las laderas.

656.8 Km. Desde aquí, hasta el kilómetro 649, hay muchos túneles.

650.1 Km. Puente La Mora, de 136 metros de longitud.

640.8 Km. Entre los kilómetros 640.8 y 638.3, hay túneles que van de los 107 a los 462 metros de largo.

633.0 Km. Túneles 16 (55 m) y **15** (112 m)

626.0 Km. Esta parada es para servir a los hoteles Posada Barrancas y Mansión Tarahumara. Ambos cuentan con magníficas instalaciones.

623.0 Km. Túnel 14, de 115 metros de largo.

622.0 Km. Divisadero tiene vista a un tributario del Río Urique en la Barranca del Cobre. También puede llegar a Divisadero por carretera. Es la primera vista espectacular de la barranca.

601.8 Km. Pitorreal

585 Km. El Lazo es una vuelta increíble donde la vía cruza sobre sí misma.

583.0 Km. Punto más alto del recorrido, con una altura de 2,460 metros.

575.0 Km. El Balcón

563.8 Km. Creel es una ciudad maderera de unos 5,000 habitantes, enclavada en las montañas lejos de los acantilados de la barranca. Fue bautizada en honor a Enrique Creel, gobernador de Chihuahua, quien junto con Arthur Stilwell, promovió la ruta original del ferrocarril de la Ciudad de Kansas, vía la Barranca del Cobre, hacia el oriente a finales de la década de 1890. La vida en Creel gira alrededor de las actividades turísticas, madereras, comerciales y del ferrocarril,

555.0 Km. Bocoyna fue fundado por misioneros jesuitas en 1702 con el nombre de Nuestra Señora de Guadalupe de Bocoyna. El nombre significa "bosque de pinos" en tarahumara.

534.0 Km. Puente sobre el Arroyo Ancho.

531.0 Km. San Juanito, a 2,439 msnm, se fundó con la llegada del ferrocarril en 1906. San Juanito ostenta que ha tenido las temperaturas más bajas del país.

471.0 Km. Puente sobre el Río San Pedro.

461.0 Km. Miñaca es un pequeño villorrio, cuyo nombre es una derivación del vocablo tarahumara "maguyaca", que significa león.

451.0 Km. Estación La Junta se encuentra a 2,650 msnm, fue la base de talleres del ferrocarril, así como un importante entronque ferroviario. Una vía se dirigía hacia el norte a Ciudad Juárez. El río que se cruza antes de llegar a La Junta es un tributario del Río Papigochi, el cual se une al Río Aros en Sonora y desemboca en el Golfo de California.

400.0 Km. Cuauhtémoc El pueblo creció con el arribo del ferrocarril en 1900, pero se incrementó con la llegada de los Menonitas en 1921-1922. En 1927 se le cambió el nombre para honrar al último emperador azteca.

346.3 Km. Túnel 2 de 112 metros de largo

349.0 Km. Estación San Andrés Este poblado fue fundado en 1696 por misioneros franciscanos que lo llamaron San Andrés de Osaguiqui. En 1932 se le cambió el nombre a Riva Palacio, en honor del General Vicente Riva Palacio, un escritor y héroe de la Intervención Francesa. Aquí nació una de las esposas del General Francisco Villa.

319.0 Km. Después de cruzar la carretera, el tren entra a **General Trías**, fundada por misioneros franciscanos en 1668 y llamada Santa Isabel de Tarahumaras. En 1932 se le cambia el nombre para honrar al General Ángel Trías, un héroe que exitosamente expulsó a los franceses de territorio nacional en 1862-1863.

368.0 Km. Ciudad de Chihuahua Capital de Chihuahua, el estado más grande de la República Mexicana. Una gran ciudad, llena museos y una intensa vida cultural.

EL SATÉLITE

Descansando en mi silla reclinable, viendo las noticias de la noche a finales de octubre, esperaba el informe del tiempo –una de mis pasiones. Ya casi me quedaba dormido cuando la imagen satelital del suroeste norteamericano apareció en la pantalla. No esperaba gran cosa, debido a la prolongada sequía de siete años. Lo que vi me hizo enderezarme en mi silla. Dos enormes tormentas estaban por converger sobre la parte norte de la Sierra Madre.

Escuché atentamente el reporte sobre dos fuertes frentes fuera de temporada que se cernían directamente sobre la zona de la Barranca del Cobre en Chihuahua. Uno era una insólita tormenta de octubre originada en el Golfo de Alaska y el otro era un disipante huracán que venía casi desde Hawai. Las dos tormentas se desplazaban del norte y oeste hacia una de las zonas de barrancas más escarpadas del planeta. El frente del norte era frío y profundo; la tormenta del sur era tibia y llena de humedad tropical. Una combinación explosiva.

Unos cuantos años antes, mi buen amigo Carlos Lazcano me había contado de unas cascadas "recientemente" descubiertas, las cuales se creía eran las más altas de México. Localizada en la barranca de Candameña, cerca de la cascada de Basaseachi (la hasta entonces cascada más alta de México), la recientemente nombrada "Cascada de Piedra Volada" había permanecido sin agua casi todo el tiempo desde su descubrimiento. Me habían dicho que la ubicación de esta lejana cascada era sumamente exótica. Siempre había deseado conocerla y me di cuenta de que esta era mi mejor oportunidad.

Carlos me había dicho que la cascada había sido vista por primera vez en 1995, cuando un grupo de amigos realizaron el primer ascenso a la pared de piedra vertical más alta de México, llamada El Gigante (885 m). Poco después midieron la cascada, cuya altura es de 453 metros.

La Barranca de Candameña tiene las mejores paredes para realizar escaladas de varios días de duración en todo México, siendo la de mayor reto El Gigante. Es desde este difícil, pero ventajoso lugar, donde los escaladores pueden ver, hacia abajo, el túnel que la cascada abre en lo profundo de la roca y que ha mantenido escondido este tesoro de la Sierra Madre durante tanto tiempo.

No había planeado viajar a las Barrancas, así es que realicé un rápido inventario mental de mis recursos actuales – escasos recursos monetarios, vehículo viejo, condición física deficiente. Pero concluí, no todo es perfecto en este mundo. Eché un poco de ropa en la camioneta, compré unos cuantos víveres y, lo más importante, les hablé a mis amigos de la Dirección de Turismo de Chihuahua para que me dieran algunos datos útiles. Carlos me recomendó a un guía del pueblo de Huajumar y me informó que había un rudimentario hotel disponible.

En noviembre de 1984 tuve la dicha de estar en la Cascada de Basaseachi cuando otra tormenta similar pegó en la parte occidental de la Sierra. En ese entonces no sabía que era un hecho insólito. He logrado poner una fotografía de la inundación de 1984 en las portadas de varios libros y revistas, por lo que ahora que se acercaba el nuevo milenio esperaba recuperar algo del drama y emoción juvenil que ocasiona un reto.

Al llegar a Huajumar me encontré que Paco Camúnez, el guía que me habían recomendado, vivía en la primera casa a la que me acerqué. Lo conocí cuando caminaba con unos amigos por el angosto camino de terracería y el sol poniente iluminaba las nubes de tormenta que flotaban desde el oeste.

Paco me llevó hacia un modesto hotel de paredes de concreto. Decidimos ir a la cascada a la mañana siguiente. Esa noche en mi cuarto del hotel, pequeño y lleno de corrientes de aire, me sentí muy agradecido por poderme dar un baño tibio y acostarme en una cama calientita. Debido a la tormenta, la lluvia golpeaba como esquirlas de acero contra las paredes de mi habitación. Soñé con las cascadas que nunca había visto, ni siquiera en fotografías. Tan pronto amaneciera iba a conocer la cascada más alta de México, y a su máximo nivel de agua, o al menos, eso creía.

Paco pasó por mí a media mañana. Condujimos por el escabroso sendero durante unos 10 Km. hacia la cascada. Caminamos 2 Km. más hasta el mirador. Cuando llegamos, alrededor de medio día, todo el cañón estaba envuelto en una espesa neblina – algo poco usual. Podía oír el rugir de las cascadas al otro lado del barranco, pero no podía ver nada hacia lo que sabía era un gran abismo.

Nos quedamos parados en la llovizna una hora aproximadamente, hasta que Paco decidió prender una fogata para calentarnos. Un poco después, con una súbita brisa, se despejó el cañón. Había soñado con fotografiar la cascada con neblina. No iba a ser posible. Primero totalmente cubierta y en cuestión de segundos el ambiente estaba completamente despejado.

Estaba tan impresionado con el súbito cambio de clima y la vista de la cascada, que he de haber batallado con los trípodes y cámaras unos diez minutos antes de tomar la primera fotografía.

La escena era impactante, aún para alguien acostumbrado a los paisajes de las barrancas. Dicen que puede ser Nepal o Perú o equis lugar, pero la verdad es que fue lo más hermoso y legendario que hubiera podido soñar de la Sierra Madre. Al otro lado de la barranca, además de la cascada, se encuentran dos paredes verticales, adornadas por la cascada y divididas justo en el centro por una gran barranca lateral, llena de cascadas. ¡Que vista tan increíble! Era como si Tata Dios, el padre dios de los tarahumares, hubiera lanzado un puñado de cristales y piedras preciosas sobre el verde bosque del trasfondo.

Enormes pinos tachonaban los riscos como pequeños brotes de musgo adheridos a las inmensas paredes. El arroyo Candameña corría violento en la sima, casi imperceptible a simple vista pero con un feroz rugido, a más de 600 metros de profundidad.

Mis ojos parecían teleobjetivos. Era difícil enfocar. Una mirada de cerca de algo y mis ojos querían dirigirse a otro lado y verlo en perspectiva. ¿Qué tan grande es este detalle? ¿Qué tan retirado está aquel otro? Casi no había forma de obtener la perspectiva. Afortunadamente esto era lo mío, por lo que me enfrasqué en una intensa jornada –cinco horas- de fotografía. Ya no era necesario tratar de asimilarlo todo en conjunto o en detalle, solo era cuestión de utilizar las cámaras.

Del otro lado de la barranca, mi principal punto de interés rugía al lanzar su raudal hacia el vacío. En ciertos momentos pude seguir una ola desde arriba hasta abajo. Al atardecer, el viento que soplaba en la barranca, luchaba para devolver el agua hacia el mismo cielo. La solitaria cascada era en realidad un torrente que caía por el aire, desde la orilla de una incisura en un pequeño cañón, para luego penetrar en un tubo o túnel en la pared del risco. Este tubo, es cual tiene una pequeña abertura río abajo, en la parte occidental, sirve para concentrar los vientos que suben y que se enfrentan al agua que cae. Se crea una rivalidad entre el viento y el agua, única en el mundo, aquí en Piedra Volada.

Fue uno de esos momentos que parecen suceder en cámara lenta y que, sin embargo, fue solo un instante en el tiempo. Ojalá hubiera hecho más cosas, observado más atentamente, sentido más intensamente. Realmente haber hecho más hubiera sido imposible; estaba exhausto.

Mientras trabajaba hasta las mágicas horas del crepúsculo, mi inconsciente empezó a tararear la canción de Moody Blues "Nights in White Satin". Fue una de esas cosas de las que no te das cuenta; simplemente se repiten en tu mente una y otra vez.

*Sombras en el suelo,
Nunca hacen ruido,
Desvaneciéndose en el ocaso…
Puedo verlo todo, desde esta gran altura,
Puedo sentir el sol, desapareciendo,
Y la vida continúa, durante la noche,
Hora crepuscular, apta para soñar un rato,
Revela el intenso azul.
Mientras la fantasía se desliza, sobre coloridos cielos,
Su silueta desaparece.
En el crepúsculo, sueña conmigo un rato.
Un ruiseñor canta una triste y suave canción,
De notas tan ricas y ciertas,
Una exhibición aérea de la brigada de luciérnagas,
Bailando con melodías que nadie sabía.
En el crepúsculo, sueña conmigo un rato.
Noches de blanco satén, interminables,
Cartas que he escrito, pero no pienso enviar.
Belleza que nunca había apreciado, con estos ojos,
Cuál es la verdad, ya no lo sé.
Porque te amo, sí, te amo,
Cuanto te amo, cuanto te amo.

Aspira profundo la creciente melancolía,
Observa las luces desvanecerse en cada habitación…
Apasionados amantes luchando como uno solo,
Hombre solitario llora por amor y no tiene a nadie…
Insensible orbe que riges la noche,
El rojo es gris y el amarillo, blanco,
Pero decidimos cuál es el correcto.
¿Y cuál es una ilusión?
*Traducción libre

Al emerger de mi estado de ensoñación, Paco esperaba pacientemente. Hablamos un poco en mi mal español. No sabía la palabra "satélite" en español. Le expliqué que una máquina, en lo alto del cielo, había pronosticado este inusual acontecimiento con tres días de anticipación. Cuando entendió lo que trataba de decirle, se emocionó. Generalmente Paco es un hombre tranquilo y reservado, pero muy inteligente. "¿Satélite tres días antes?" preguntó. "Más o menos", respondí. Estaba sorprendido de saber que alguien se pudiera interesar por los eventos climatológicos en esta barranca, mucho menos utilizar en la práctica esta información.

Al día siguiente me reuní con Carlos para explorar las Cuevas de los Cristales en Naica. Reflexioné en que nunca me iba a hacer rico así. Mi vehículo se había deteriorado mucho en esos caminos de la Sierra Madre y una caminata de cinco kilómetros en una semana, en la cual manejé en zonas sumamente difíciles, no me iba a ayudar a obtener una buena condición física. ¡Es una vida difícil, pero creo que alguien tiene que vivirla!

Expreso mi más profundo agradecimiento a Carlos Lazcano por haberme invitado a participar en la exploración de las tres zonas, descritas en el capítulo sobre el milenio: las ruinas de la Barranca de Huápoca, las Cuevas de los Cristales en Naica y la Cascada de Piedra Volada. También quisiera agradecer a David Teschner por su gran apoyo, tanto material como personal, permitiéndome terminar esta obra.

LA MAJESTUOSA BARRANCA
Por Richard D. Fisher

Se dice que hay cinco barrancas en el Estado de Chihuahua más grandes y profundas que el Gran Cañón del Colorado. El primer descenso y exploración de las dos más profundas y angostas se llevó a cabo en 1986. Es increíble que estos maravillosos abismos no hubieran sido documentados en la época actual. Se necesitó del desarrollo de técnicas especiales para barrancas para que estas zonas fueran accesibles a su exploración y documentaación.

Durante años, las grandes barrancas de México han sido reconocidas como unas de las zonas más desoladas, escarpadas e interesantes de América del Norte. Algunas partes de las barrancas habían sido exploradas desde la época de Carl Lumholtz (1890). En 1892 Lumholtz llevó a cabo, a pie, lo que hasta la fecha se considera la más completa exploración de la Sierra Madre y la Barranca de Sinforosa. Carl Lumholtz llamó a ésta la Barranca de San Carlos y sus informes siguen siendo los más completos y exactos sobre la zona. Hasta donde yo se, no se han llevado a cabo exploraciones de todas las barrancas en balsa u otro medio de transporte por lo que en 1985 me propuse llevar a cabo este proyecto.

Los objetivos de este proyecto, el cual tomó cuatro años, eran documentar y evaluar las barrancas para ver si tenían el nivel de Parque Nacional; llevar a cabo una investigación preliminar sobre la fauna y flora y su uso por el hombre; y comparar estas gargantas con otros similares en el resto del mundo, en cuanto al potencial de sus ríos. También se hizo un esfuerzo para comparar estas poco conocidas tierras con su más famosa contraparte-el Gran Cañón del Colorado.

En enero de 1986 organicé un grupo de expertos expedicionarios que exploraría la Barranca de Sinforosa, la segunda más profunda y la sima más angosta de la zona. Pasamos grandes dificultades debido a lo bajo del agua. Sin embargo, tuvimos éxito al localizar una zona que casi no se ha visto afectada por el hombre. Esta es una de las pocas zonas de la región que conservan la flora y la fauna que existía en las barrancas cuando llegaron los misioneros con cabras y ganado hace 300 años. En octubre de 1986 se llevó a cabo otro primer descenso exitoso, esta vez a la barranca más profunda, la de Urique.

Descripción General – Río Verde y la Barranca de la Sinforosa

El Río Verde es el más grande de los tres ríos que cruzan la parte central de la Sierra Tarahumara. Prácticamente, el río Verde es el más remoto y de difícil acceso de los tres sistemas de ríos. Los tres ríos son el Urique, el Batopilas y el Verde.

Generalmente se cree que estos tres ríos han erosionado y creado las más grandes y profundas barrancas de Norteamérica y que estas barrancas ciertamente son uno de los sistemas de barrancas más grande del planeta.

Debido a lo remoto e inaccesible del río Verde, es una de las zonas menos exploradas y documentadas de Norteamérica.

La flora y fauna de la barranca han sido afectadas e impactadas grandemente por el ser humano, principalmente por el pastoreo de cabras y ganado. Existe una espectacular excepción en la zona más angosta, donde un prístino bosque con exóticos árboles, aves y mamíferos, presentan su última batalla contra la intromisión del hombre.

La geología de la barranca está compuesta, principalmente, de estratos ígneos sólidos. Esta roca, excepcionalmente dura, es muy resistente a la erosión. Esto hace que el cauce del río esté lleno de enormes peñas. La pendiente del río también es extremadamente pronunciada. La caída estimada por los desfiladeros promedia 36.5 metros cada kilómetro y medio.

La barranca es aprovechada tanto por las familias mexicanas como por las tarahumaras. No hay tantos tarahumares ni tepehuanes como se creía y generalmente habitan en el tercio más alto de la barranca. Sin embargo, vimos al menos una familia tarahumara viviendo en un campamento temporal al nivel del río.

El río Verde no es navegable, sin importar el nivel del agua, con el equipo y técnicas actuales. Se pueden recorrer tramos pequeños de la barranca a pie, ya que hay veredas en muchas zonas. Viajar río abajo no es práctico, excepto en distancias cortas (2-3 Km.). Tim Bathen, miembro de la expedición, bromeó sobre el uso futuro de cohetes de propulsión tipo Buck Rogers para que esta barranca pueda algún día ser accesible.

Debido a que la barranca de la Sinforosa es extremadamente profunda y angosta y a su geología, los principios básicos sobre la formación de rápidos no son los mismos que en el sistema del río Colorado. Casi todos los rápidos del sistema del Colorado son creados por peñas que han caído al cauce del río desde barrancas laterales. Aunque algunos de los campos más grandes de peñas en la barranca de la Sinforosa se crearon así, la mayoría de los campos de peñas y rápidos (cascadas) se crean al caer grandes placas o losas, desde arriba, al cauce del río.

La barranca no es tan consistente como el Gran Cañón del Colorado, relativo en cuanto a angostura-profundidad-extensión. En general, creo que la barranca de la Sinforosa es un poco más grande que el Gran Cañón. La Sinforosa no parece ser más grande ya que, además de ser muy angosta, tiene vueltas y curvas, por lo que no es común poder ver a una distancia de 80 kilómetros.

Como se mencionó anteriormente, esta barranca no es apta para recorrerla por agua. Sin embargo, al utilizar técnicas "especiales para barrancas" es posible (pero no práctico) recorrer 50-65 Km. en una expedición bien planeada y ejecutada. La distancia promedio a recorrer en un día, bajo las mejores condiciones, deberá ser de 5 a 8 Km.

El clima durante nuestra primera expedición, la cual tuvo lugar en enero, era fresco-frío en las noches y tibio-caliente durante el día. Antes de nuestro viaje había habido tres meses de lluvias o nevadas insignificantes. El río estaba en un nivel más bajo de lo esperado, dando lugar a graves problemas. Algunos de los rápidos hubieran sido navegables si el nivel del río hubiera sido más alto, pero eso hubiera ocasionado mayores problemas en las zonas de peñas.

Los miembros de esta expedición fueron: Tim Bathen, Michael Kelly y Richard Fisher.

Descripción General – Barranca de Urique

Carl Lumholtz dice que la palabra "Urique" significa barranca en tarahumara. Frecuentemente hay confusiones sobre la ubicación exacta a la que se le da este nombre.

En forma general, el pueblo se ubica en la parte alta de la barranca de Urique. Esta barranca termina en el Río Fuerte. No es muy sabido que río abajo de donde se unen los ríos Fuerte y Urique, se encuentra una barranca más pequeña pero increíblemente hermosa, a la que llamaré barranca del Fuerte.

Las barrancas de Urique y del Fuerte son las únicas zonas de las barrancas que permiten desplazarse por el río. Quiero enfatizar que solo son navegables con nivel alto, pero no en época de crecidas.

Es posible navegar río abajo del pueblo de Urique durante unos quince kilómetros, para luego tener que caminar durante 1 Km. aproximadamente. Este sitio, Dos Arroyos, es donde un grupo de grandes peñas puede crear varias cascadas, pequeñas pero hermosas. Esta es una de las zonas más espectaculares del recorrido. Dependiendo del nivel del agua, es posible pasar casi todos los rápidos de aquí al río Fuerte. El recorrido del pueblo de Urique al río Fuerte toma unos tres días.

Todo este recorrido se puede describir como un paseo por tierras de cultivo no legales. Recomiendo a los balseros mantenerse en el río y no realizar caminatas. Por lo general, la gente de la zona es muy amistosa y es seguro tratar con ellos, en este caso, se recomienda evitarlos. Dejen que la gente se acerque a ustedes; no los busquen, ya que podrían toparse con algo inesperado y desagradable al salir a explorar.

En el poblado de Tubares existen las ruinas de una hermosa y antigua misión. Tenga cuidado de no salirse de la zona de la misión. Río abajo se encuentra otra misión, llamada El Realito, la cual todavía permanece en pie. Es un lugar encantador. Unos ocho kilómetros río abajo se topa uno con varios rápidos que terminan en una peligrosa cascada. Pudimos amarrar la balsa en esta zona.

Ocho kilómetros debajo de las cascadas, se encuentra la presa San Francisco. El río ha penetrado la presa, por lo que no existe un lago. Sin embargo, la presa misma constituye un lugar obligado para trasladarse por tierra. Pasando la presa se encuentra el corazón mismo de la barranca del río Fuerte. Hay unas cuantas pequeñas olas en este sitio. Generalmente el agua lleva una buena corriente aunque en la superficie parece estar en calma. En alguna época habitaron cocodrilos en esta zona. La presa San Francisco está en el lugar incorrecto en los mapas topográficos. Hay una distancia de día y medio desde la presa hasta el punto de extracción en la estación del tren de Agua Caliente.

En términos generales, el viaje puede hacerse en unos seis días *en el río*, contando con el nivel del agua, equipo y técnicas adecuados.

Lo que descubrimos al final de nuestra expedición fue desalentador. Justo antes del punto de salida en el famoso "Tren de la Barranca del Cobre" están construyendo una gran presa. Es una lástima que la barranca más profunda del hemisferio será inundada antes de ser adecuadamente documentada científicamente o disfrutada por los amantes de la naturaleza.

Los miembros de esta expedición fueron: Kerry Kruger, Rick Brunton y Richard Fisher.

Descripción General – Barranca del Cobre

Expediciones anteriores a la barranca del Cobre habían producido valiosa información. Debido a la relativa facilidad para llegar, vía el famoso Ferrocarril Chihuahua al Pacífico y por Creel, la barranca del Cobre ha sido objeto de muchas expediciones, tanto profesionales como amateurs. Se habían hecho varios intentos para bajar al río. El consenso general es que la barranca del Cobre no es adecuada para cualquier tipo de paseo por el río. La mayoría de las expediciones, si no es que todas, han fracasado en su intento debido a lo extremadamente abrupto del lecho del río, a técnicas inapropiadas y equipo no apto para la topografía de la barranca.

Es imposible cruzar la Barranca del Cobre por un gran apilamiento de peñas y cascadas que se encuentran unos 16 Km. río abajo del puente Humirá. En este campo de peñas es donde el río corre bajo tierra una distancia aproximada a los 2 Km. Río abajo, el curso del agua se asemeja mucho a la barranca de la Sinforosa (ver fotografías). Se ha probado en otras zonas el recorrido en lancha y/o kayak. Una de ellas es de El Tejaban hasta la vereda que baja de El Divisadero. Este trecho también es intransitable. Un grupo tuvo un poco de mejor suerte utilizando kayaks inflables, desde el punto de partida por la vereda de El Divisadero hasta el pueblo de Urique.

Barranca de Guaynopa

Es interesante hacer notar que el río Aros es el más grande del noroeste de México. Ahora que ya no existe el río Yaqui debido a proyectos hidroeléctricos, el Aros se distingue por ser el río natural más importante de la región. El río Aros, que recibe el nombre de río Sírupa en la zona conocida como el "gran recodo" de la barranca de Guaynopa, comparte muchas características con la barranca del Cobre. Esta zona se encuentra cerca de Madera, Chihuahua.

Calidad de Parque Nacional

No existe ningún parque nacional o reserva natural en la zona de las barrancas. Las barrancas que perforan esta zona de la Sierra Madre son mundialmente famosas por su grandiosa belleza y espectaculares paisajes. Se podría pensar que varios "segmentos" de la zona de las barrancas podrían ser factibles para declararlas parques nacionales.

La sección más angosta de la barranca de la Sinforosa sería una excelente propuesta como parque y reserva nacional. Habría pocos conflictos de intereses sobre los "estrechos", ya que esta zona en particular ha conservado su flora, fauna y belleza natural.

La zona específica que cumple con todos los requisitos para ser considerada parque nacional es donde se encuentra el rancho San Rafael, en el borde de la barranca.

Se habla más detalladamente de la barranca de Batopilas en la sección sobre la Catedral Perdida de esta guía. El área que rodea Satevó sería ideal para ser parque o zona histórica nacional.

La mejor ubicación en la barranca del Cobre para un parque nacional sería desde el puente Humirá hasta la zona de El Divisadero, ya que es la parte más espectacular de la barranca.

En los Estados Unidos estas zonas serían consideradas demasiado pequeñas e incompletas para ser parques nacionales. Tomando en cuenta la situación política, económica y social de México, estas zonas serían un excelente principio ya que son, sin lugar a dudas, las joyas de las Majestuosas Barrancas de la Sierra Madre.

Batopilas, El tesoro escondido de la Sierra Madre

En el Norte de México, existen todavía algunos encantadores pueblos mineros diseminados por la Sierra Madre. Álamos y Chínipas son sólo unas cuantas reliquias que nos evocan recuerdos de antaño. Estos lugares son tan ricos en leyendas como lo fueron en oro y plata. Historias de barones de la plata, minas de oro de los Jesuitas perdidas, bandidos, levantamientos indígenas, peligro y aventura abundan en esta misteriosa cordillera.

El pueblo de Batopilas brilla como una joya, anidada en las profundidades de uno de los cañones más profundos de Norte América. Un paisaje que quita el aliento, con un serpenteante río color verde esmeralda y una exhibición de flores que dura todo el año. Es de resaltar la hospitalidad de sus habitantes, quienes le dan ese complemento maravilloso el ambiente de esta villa, rica en historia y romántico atractivo.

Después de un emocionante, acalorado y polvoriento viaje desde Creel, un simple baño refrescante parece un pedazo de cielo en esta población, que me atrevo a comparar con el "Macondo" de Gabriel García Márquez.

Novelas de misterio del Viejo Oeste, de romance y los informes de un parco joven antropólogo, se funden y cobran vida en este lugar. Juzguen ustedes mismos mientras analizan el contenido de "La Catedral Perdida" o visiten este lugar del pasado y díganme, ¿qué hace a Batopilas tan especial?

Actualmente Batopilas está viviendo un incremento de turistas, gracias a la reconstrucción de su viejo camino. Apenas el año pasado repararon el puente y se construyó un muro de contención para proteger al pueblo de las inundaciones periódicas. El ritmo de vida es tranquilo, lo cual hace de esta hermosa villa a la orilla del río, llena de flores, música y gente amistosa, un remanso para desconectarse de la vida moderna. Aún no hay televisión en Batopilas y puedo afirmar que nunca nos ha hecho falta.

Al visitar Batopilas, frecuentemente me hospedo con Monse Bustillos, quien maneja un pequeño hotel familiar. La "Monse" también atiende una tienda de artesanías tarahumaras y conoce muy bien a la gente del pueblo. Hay varios restaurantes, hoteles y hostales para todos los presupuestos, mención aparte merece el hotel Riverside Lodge; se trata de una antigua hacienda restaurada que cuenta solamente con 14 habitaciones bellamente decoradas al estilo de la época dorada de Batopilas.

PARQUE NACIONAL CASCADA DE BASASEACHI

Durante mucho tiempo fue objeto de rumores y mitos en las montañas de la Sierra Madre, hoy la Cascada de Basaseachi es toda una realidad para el moderno turista que busca aventura. Catalogada como una de las mayores a nivel mundial, la Cascada de Basaseachi es, sin lugar a dudas, el accidente geográfico más impresionante desde el Gran Cañón del Colorado hasta los volcanes del centro-sur de México. El Parque Nacional no solo protege la cascada de 246 metros de altura, sino al menos otras cinco cascadas y uno de los más espectaculares cañones del hemisferio. Esta área natural, cuyo acceso es por una carretera en muy buenas condiciones, atrae a los viajeros expertos, exploradores y apasionados de la naturaleza.

Siendo el único Parque Nacional en el norte de la Sierra Madre, Basaseachi es uno de los tesoros naturales más importantes de México y el mundo.

El nombre Basaseachi es de origen Tarahumar y significa "lugar de la cascada" o "lugar de los coyotes". Es importante tomar nota de que ninguna palabra Tarahumara termina en consonante. En ocasiones se le agrega una "c" al final (Basaseáchic) para mexicanizar el vocablo. Yo creo que lo más apropiado es llamar a las cascadas Basaseachi y al parque nacional Basaseáchic. Desafortunadamente, no hay rarámuris viviendo en esta zona.

Carl Lumholtz reportó en 1890 que los expertos mineros de Pinos Altos midieron las cascadas con una altura de más de 300 metros. Recientemente, la mayor autoridad en geografía y clima de la Sierra Madre, el Dr. Robert H. Schmidt Jr., midió las cascadas con una altura exacta de 246 m (809 pies). Esto hace que Basaseachi sea la vigésimo octava cascada más alta del mundo, la cuarta más alta en Norte América y la más alta de México.

Basaseachi se encuentra en una zona alpina, con una altitud de 2,000 msnm (6,600 pies). Esta zona recibe un promedio de 63.5 cm. (25 pulgadas) de lluvia al año, con el 72 por ciento de precipitación en el verano. El caudal que fluye por las cascadas fluctúa entre una gota a la vez en épocas de sequía, hasta 3,510 pies cúbicos por segundo durante las crecidas del río.

El Parque Nacional Cascada de Basaseáchic se ha distinguido por contar con un ambiente muy pacífico y espiritual. La comunidad entera se esfuerza para conservar uno de los tesoros naturales de México en su estado natural y proteger la flora y fauna del parque.

A pesar de sus esfuerzos, el parque presenta deterioro en tres diferentes niveles. Primero, el área del parque mismo no es mucho más grande que un campo de golf, nuevas construcciones lo copan por todos lados. Los límites del parque deben extenderse, comprando propiedades privadas que lo rodean y regresando la tierra a su estado natural. Segundo, la tala de árboles dentro del parque continúa (principalmente para hacer puentes que son arrastrados con cada crecida del río); la deforestación alrededor de los límites del parque ha alcanzado niveles críticos. La tercera amenaza es la culminación de varios factores que afectan a México en general. El sobre pastoreo (en y alrededor del parque), la deforestación, presiones de la población y la falta de un sistema adecuado para el manejo de basura.

La zona aledaña al parque se ha deteriorado grandemente desde la época de Carl Lumholtz, (principios del siglo XX) cuando el pájaro carpintero imperial, el oso gris y el glotón de América habitaban esta zona. Ahora, los mexicanos debemos tomar una decisión: permitir que toda el área se vuelva un enorme depósito de basura, con arroyos de agua sucia cayendo 246 metros hacia el desierto, o volver el parque y sus alrededores a su belleza y tranquilidad natural.

En ningún lugar del mundo, la decisión de conservar un parque nacional ha sido fácil y sin conflictos. El Parque Nacional Cascada de Basaseachi es una de las mejores y más hermosas zonas naturales de México y del mundo. Este parque representa un reto. ¿Podrá y querrá el pueblo de México luchar por un mejor futuro?

La Vereda a la base de la Cascada una de las más demandantes y hermosas caminatas en la Sierra Madre es precisamente a la base de la Cascada de Basaseachi.

Aproximadamente a la mitad del pueblo de Basaseachi, de vuelta hacia el sur, transitando por el camino de terracería hasta un estacionamiento cercano a la parte superior de la cascada. A partir de allí, la vereda continúa hacia el suroeste y cruza el arroyo Basaseachi por un puente elevado. Desde el puente, el camino serpentea por un lindo bosque hasta la parte superior de la cascada.

Aproximadamente unos 50 metros río arriba, se cruza nuevamente el arroyo. En este lugar busque la vereda que sube escarpadamente por el lado este, hasta una hondonada por donde la vereda baja aproximadamente 300 m, en forma casi vertical, hasta la base de la cascada. Al llegar al fondo, manténgase del lado este del arroyo para poder llegar a la poza exactamente por debajo de la caía de agua.

El sendero fue mejorado en su trazo hace ya algunos años y tiene escalones en algunas partes. Esta es una caminata increíblemente hermosa. Le repetimos, si cuenta usted con una buena condición física, calcule un par de horas para bajar y unas tres para subir, no se arrepentirá.

BARRANCA DE BATOPILAS

Cortesía de www.great-adventures.com

Justo delante de Kírare, de repente el paisaje cambia para mostrarnos la asombrosa extensión de la Barranca de Batopilas. La seducción de metales preciosos atrajo a los primeros visitantes a esta remota barranca, pero aun el más avaricioso buscador de tesoros hubiera interrumpido su viaje para contemplar el magnífico panorama. Caminos zigzagueantes descienden 1,600 m. por una escarpada barranca hasta un pequeño puente que cruza el plateado Río Batopilas.

Exactamente frente al precipicio, el cerro de los Siete Escalones asciende en forma abrupta hacia los cielos. Quizás fue en este el lugar donde el Padre Sol y la Madre Luna -de las leyendas tarahumaras- bajaron a la tierra a bendecir a sus criaturas.

Desde su nacimiento cerca de Tónachi, el Río Batopilas corre por un camino tortuoso en forma de herradura para unirse al Río San Ignacio. Tanto el río como la barranca toman su nombre del pueblo minero. En el siglo diecisiete, fue muy famoso como productor de plata. Aunque adelantados españoles descubrieron plata brillando en el río en 1632 que atrajo un pequeño grupo de mineros, el pueblo de San Pedro de Batopilas se fundó hasta 1709, año en que se descubrieron sus minas. Actualmente el pueblo se conoce como Batopilas, palabra que se deriva del vocablo Tarahumara *"bachotigori"*, que significa 'cerca del río'.

Misioneros jesuitas acompañaron a los primeros mineros y pobladores, los cuales siguieron la sección del Camino Real que pasaba por la Barranca de Batopilas. En 1745, se construyó en Yoquivo la Misión de Nuestra Señora de Loreto, hoy en día se trata de una pequeña comunidad maderera localizada como a doce kilómetros al noreste de Batopilas. Para organizar una caminata partiendo desde este punto, se torna un poco difícil, dado que en esta población se cuenta con servicios muy limitados, además la transportación entre esta localidad y Guachochi, que es la ciudad más cercana, es poco frecuente. Aun así, la vereda que conecta estas dos poblaciones tiene vistas hermosas y es una opción extenuante para el caminante con determinación y excelente condición física.

Respecto a la Misión del Santo Ángel Custodio de Satevó, hasta hace poco se encontró información sobre este magnífico edificio que fue construido entre 1760 y 1764 ya que a fines del siglo XIX, un incendio destruyó sus registros en pergamino originales. Actualmente no viven tarahumares en esta pintoresca comunidad, pero el tamaño y la ubicación de la iglesia, en la parte más ancha del Río Batopilas, nos indican que en alguna época fue ideada para albergar una comunidad de regular tamaño.

Satevó se encuentra a 6 k de Batopilas, se trata de un camino de fácil recorrido, el cual llega a un recodo donde los brillantes contornos encalados de esta solitaria iglesia, parecen materializarse entre la vastedad del cielo azul, el verdor de las paredes de la barranca y las formaciones rocosas. Hay un agradable campanario tripartito que aun no es visible, ya que la estructura se entremezcla con los cerros ocre y rojo, con cuya tierra fueron elaborados sus ladrillos.

Tras una revisión más minuciosa, vemos que la iglesia tiene 3 domos (el principal y más grande sobre el santuario, uno mediano sobre la biblioteca que en alguna época comunicaba la iglesia con el monasterio, y uno pequeño sobre el campanario) y 4 medios domos, los cuales han sido todos enyesados, exceptuando el del campanario. Algunas de las paredes exteriores también han sido enyesadas, pero el edificio original fue construido totalmente de ladrillos refractarios y mortero.

Restos de un horno para este propósito aun se encuentra a un lado de la iglesia. Este proceso requirió de grandes cantidades de agua, por lo que al ver a niños hoy en día, cargando cubetas con agua nos recuerdan lo poco que ha cambiado el diario vivir en lo profundo de estas barrancas.

Enormes puertas de madera nos franquean la entrada y nos muestran escasas bancas sobre un sobrio piso de piedra, hay que notar que el suelo está disparejo por que ahí se encuentran algunas tumbas. Los locales cuentan que la tumba sin nombre, en el umbral de la iglesia, es de un arquitecto que cayó muerto al colocar el último ladrillo de la iglesia. Sin embargo, una de las características más interesantes de esta iglesia es el predominio de estatuas e imágenes de la Virgen en el altar, mientras que la imagen del Sagrado Corazón de Jesús se encuentra discretamente a un lado del altar, como si se hubiera decidido posteriormente. La pared frente al altar está pintada con pigmentos azules, tomados seguramente de una mina de cobre cercana, pero unas marcas largas de agua nos indican un constante luchar contra el tiempo y la naturaleza.

Recientemente el gobierno del estado asignó un importante recurso a fin de restaurar esta bellísima Misión para que siga en pie con gran dignidad, ofreciendo al visitante un fresco respiro del agobiante sol.

En su libro *The Silver Magnet (El magnate de Plata)*, Grant Sheperd describe el primer día de campo de su familia en Satevó, donde encontraron los restos de hombres consagrados esparcidos por el suelo de la cripta localizada bajo el altar. No se sabe si los vándalos encontraron lo que buscaban, pero es poco probable que hayan descubierto uno de sus más sutiles tesoros, su magnífica acústica. La visita a la Iglesia San Miguel de Satevó solo estará completa cuando la música flote en el aire, devolviéndole su alma a esta encantadora iglesia misional.

Las prolíficas minas de la Barranca de Batopilas han sido fuente de numerosas fortunas. Durante la Colonia, Don Ángel Bustamante acumuló tanta riqueza que le permitió comprar un marquesado y convertirse en Marqués de Batopilas. La Casa Barffuson, construcción del siglo XVIII y una de las más antiguas de Batopilas, era su hogar. La Guerra de Independencia trajo la expulsión de muchos españoles, por lo que la actividad minera se suspendió durante unos 20 años. En la década de 1840, Doña Natividad Ortiz y su socio, Nepomuceno Ávila, reabrieron algunas de las minas y encontraron vetas nuevas. Dos décadas después empezaron a llegar norteamericanos a Batopilas, siendo el más notable Alexander Sheperd, último gobernador de Washington, D.C., el cual adquirió sus primeros derechos en 1880. Gran parte del Batopilas actual es un reflejo del trabajo de este hombre, el cual construyó la mayor parte de las edificaciones y servicios que subsisten hasta hoy en día.

El pueblo de Batopilas, extrañamente, se encuentra junto a la parte más angosta del río. Mide 5 Km. de largo. Hacia el norte, un acueducto de piedra lleva el agua del río hacia el pueblo. Fue construido por Sheperd, siendo el principal propósito el generar la energía eléctrica necesaria para iluminar las minas y operar la fundición que construyó para eliminar el gasto de enviar material en bruto fuera de la barranca.

Actualmente el acueducto sólo sigue siendo la fuente de agua en virtud de que la electricidad ya llegó al pueblo. Una fácil caminata de 5.5 k por la vereda paralela al acueducto, nos lleva a la antigua presa. Hay partes donde aun se aprecia el empedrado original del viejo Camino Real. El camino pasa por algunas pequeñas granjas donde cultivan verduras y frutas, así como por varias pozas en el río donde es posible nadar y refrescarse.

Al llegar al puente principal en la entrada del pueblo (también construido por Sheperd), no podemos dejar de notar el gran muro de piedra que apuntala un enorme árbol cuyas sinuosas raíces se entretejen con las piedras. Pasando este muro, se encuentran las ruinas de la mansión de adobe de Sheperd, la Hacienda San Miguel. Está cubierta por una impactante buganvilla morada y una mezcla de arbustos y matorrales sobrecrecidos. En lugar de usar el puente principal para visitar la mansión, muchos visitantes prefieren cruzar por el puente colgante, siendo esto motivo de diversión para los Batopilenses.

Aunque aun se practica la minería en modesta escala en Batopilas, las viejas minas generan gran interés entre los viajeros, permitiendo así que el pueblo aproveche la creciente industria turística. Se pueden visitar muchas minas en los alrededores de Batopilas y disfrutar del paisaje durante el camino. Frente a la Hacienda San Miguel un camino inclinado nos lleva por la ladera de la barranca hasta la abandonada mina de plata El Peñasquito. Esta vereda curva, de unos 7 Km. de largo, termina en la parte sur del poblado. Otra ruta empieza al sur de Batopilas y llega a un arroyo ancho, el cual se ramifica al arroyo Camuchín, hacia la derecha, y al Taunas hacia la izquierda. El camino más fácil parte del primer arroyo, pasando por pequeños ranchos y un bosque de matorrales espinosos hasta las ruinas de adobe de una comunidad que recibe el mismo nombre, distante unos 4.5 k del pueblo.

Justo después de las ruinas está la entrada a la mina Tescalama, llamada así por la peculiar higuera que hay en su entrada, y cruzando el arroyo se puede apreciar la mina Rosalinda. El Arroyo Taunas nos lleva hasta un hermoso mirador. Se pueden ver otras viejas minas por esta vereda en un recorrido de 5 a 6 horas de duración. Se pueden encontrar gran variedad de pájaros y mariposas en ambos arroyos así como a los murciélagos de nariz larga, *leptonycteris curasoae*, que habitan en muchas de las minas abandonadas. El clima templado y la abundancia de alimentos, dan pie a que se formen grandes grupos, especialmente en los meses de verano cuando las hembras se reúnen en "maternidades", en las cuales dan a luz y atienden a sus crías.

Algunos de los paisajes más espectaculares de los alrededores de Batopilas se encuentran cerca de las pequeñas comunidades de la Mesa de Yerbanís y Cerro Colorado. El camino inicia frente a la Hacienda San Miguel y asciende en forma empinada por la barranca más allá del entronque a la mina Peñasquito. Este es uno de los recorridos preferidos por los naturalistas, ya que hay muchas aves y flores silvestres. Cerro Colorado es una pequeña comunidad minera que se encuentra a unas 5 horas de caminata de Batopilas. Algunos paseantes incluyen la caminata a Cerro Colorado en la ruta de la caminata hacia Urique o hacia El Tejaban.

La vereda empieza al norte del pueblo, en un lugar conocido como Las Juntas, pasando la antigua presa. Un camino recientemente mejorado sigue el Arroyo Cerro Colorado durante unas 2 horas; después hay un empinado ascenso por bosques de encinos. El pequeño caserío de Cerro Colorado se localiza en la mesa que está a la sombra del promontorio del mismo nombre. Existen varias veredas de Cerro Colorado a Urique. La más directa sube a Yesca y luego baja a Urique. Una ruta más larga sigue la cordillera entre las Barrancas de Batopilas y Urique, para bajar a la Barranca de Urique donde se toma hacia el norte por el camino junto al río hasta llegar al pueblo.. Estas caminatas de varios días solo se deben realizar acompañados de guías expertos.

Mejor Epoca: lo mejor es explorar la Barranca de Batopilas durante los meses secos y frescos, de noviembre a abril. Mayo es muy caluroso y durante el verano hay lluvias y humedad. Al planear su viaje, recuerde que puede hacer frío en la barranca de diciembre a febrero.

Cómo Llegar: La forma más común de llegar a Batopilas es por la carretera pavimentada que va de Creel a Guachochi, unos 70 k al sur de Creel está Samachique, aquí es la desviación hacia Batopilas. Los siguientes 55 k serán por un espectacular camino de terracería que pasa por Kírare antes de descender el cañón y seguir el río hasta el pueblo de Batopilas.

Hay servicio de autobuses que salen de Creel a Batopilas los martes, jueves y sábados y regresan los miércoles, viernes y lunes. En los hoteles de Creel encontrará información actualizada sobre la mejor manera de trasportarse hacia este bello pueblo, y pueden hacer los arreglos necesarios para transportación privada, la cual suele ser más cómoda.

Vestimenta/Equipo: ropa para clima cálido, zapatos apropiados para caminar, sombrero de ala ancha, repelente para insectos y bloqueador para el sol. En invierno, traiga un sweater ligero para las noches. Además, los que gustan de adentrarse en áreas desoladas necesitarán equipo para acampar, un estuche de primeros auxilios, para mordeduras de víbora, brújula, linterna y filtro para el agua. En Batopilas ya se consiguen artículos de tocador, pilas para linterna y rollos para cámaras.

Información General:

La mayoría de los sitios de hospedaje en Batopilas son modestos y hay solo unos cuantos restaurantes o casas donde comer. Margarita (conocida por sus hoteles en Creel) construyó un bonito complejo de hotel/restaurante al norte del pueblo, el cual abrió sus puertas desde el año 2000. Otra magnífica opción es el famoso Riverside Lodge "de Skip", el cual opera junto con el Copper Canyon Lodge de Cusárare, cerca de Creel. Los Copper Canyon Lodges de Skip McWilliams son legendarios por su alta calidad en alimentos y servicios; como son establecimientos pequeños, se sugiere reservar con anticipación en www.coppercanyonlodges.com.

En todos los hoteles de Batopilas, le pueden ayudar a contratar un guía u organizar sus caminatas por toda la zona.

NOTA IMPORTANTE: En virtud de que en Batopilas no existen servicios bancarios, le sugerimos traer suficiente efectivo para sufragar sus gastos.

LA CATEDRAL PERDIDA
Por Richard D. Fisher

Solitaria, en la parte más remota y abrupta de las barrancas, se encuentra una gran anomalía en el tiempo y el espacio. Su nombre, desconocido; su creador, no identificado; su mera existencia, cuestionada. Mitos locales se contradicen unos a otros respecto a sus orígenes y propósito.

Muchas de las misiones e iglesias coloniales del noroeste de México se encuentran bien documentadas y son visitadas frecuentemente. Sin embargo, había rumores persistentes sobre una catedral en lo profundo de la Zona de Barrancas en México, sin registro alguno, envuelta en el misterio y rodeada de leyendas. Habiendo descubierto accidentalmente muchos lugares desconocidos en las Sierras del norte, se avivó mi interés en explorar estas áreas. Emprendí un viaje de exploración por la parte central de la Sierra Tarahumara para localizar esta "Catedral Perdida" y su pintoresca ubicación.

La primera vez que escuché sobre esta gran iglesia, escondida en lo profundo de las barrancas, fue por boca de un antiguo aventurero. Hace quince años estaba considerando una excursión al famoso "Gran Cañón de México", cerca de Creel, Chihuahua. Al hablar con muchas personas que conocían la zona que abarcaría este viaje, la mejor información me la dio un hombre que se había retirado tras muchos años de explorar y se había establecido en Tucson, donde manejaba una agencia de viajes. Aunque, con el paso de los años, he olvidado su nombre, nunca olvidaré la increíble historia que me contó.

En una fresca y polvorienta oficina, rodeado de coloridos carteles y folletos turísticos, me hizo el siguiente relato: río abajo, desde el pequeño poblado de Batopilas, se encuentra una catedral fantástica; la mejor obra hecha por el hombre en toda la zona de barrancas. Describió el lugar como uno de los paisajes más hermosos que había visto en sus viajes por todo el mundo. Su descripción fue tan vívida, que en mi mente podía ver una romántica pintura de las ruinas de un antiguo monolito, forrado de enredaderas, y las paredes del cañón elevándose hasta el mismísimo cielo.

Mencionó que un grupo de visitantes deseaban llevarse las campanas de la catedral para exhibirlas en un museo. Los indígenas respetuosamente les respondieron que podían llevarse las campanas, pero no podrían abandonar el valle. Los coleccionistas decidieron que sus vidas valían más que las campanas y partieron pacíficamente.

Al inicio de mis investigaciones, hablé con varias personas que habían ido a Batopilas y me enteré que un reducido número de originarios de Tucson habían estado incluso en la misión. Sin embargo, con todo y la cuidadosa investigación, no pude encontrar un mapa que me mostrara su ubicación, ni fotografías ni quien supiera cuándo, quién o para qué la habían construido. Todos los que habían visitado las barrancas coincidían en una cosa: que la zona era sumamente abrupta y que viajar a la región de Batopilas era extremadamente difícil. Información contradictoria sobre las condiciones de los caminos y los riesgos del viaje mismo, me llevaron a prepararme para lo peor. Iba equipado con lo mínimo: una mochila, equipo para acampar, alimentos, agua y el equipo fotográfico básico.

Viajé con otro explorador con gran experiencia en actividades a campo raso. Ambos albergábamos un profundo interés en las Barrancas de México –las cuales habían estado al alcance de la mano desde hacía algunos años.

El viaje en tren a la Barranca del Cobre cumplió con todas nuestras expectativas. Compartimos un moderno vagón con varios turistas. Un intérprete bilingüe nos describió 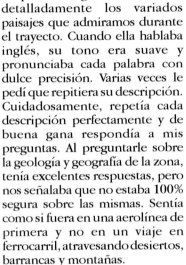 detalladamente los variados paisajes que admiramos durante el trayecto. Cuando ella hablaba inglés, su tono era suave y pronunciaba cada palabra con dulce precisión. Varias veces le pedí que repitiera su descripción. Cuidadosamente, repetía cada descripción perfectamente y de buena gana respondía a mis preguntas. Al preguntarle sobre la geología y geografía de la zona, tenía excelentes respuestas, pero nos señalaba que no estaba 100% segura sobre las mismas. Sentía como si fuera en una aerolínea de primera y no en un viaje en ferrocarril, atravesando desiertos, barrancas y montañas.

¡Las vistas fueron espectaculares! En la estación de Témoris, me bajé para fotografiar una cascada con tres saltos que fluía de una angosta hendidura. El tren paró para enganchar otra locomotora para la parte más inclinada del ascenso. Mirando hacia arriba a la vía, podía ver una curva en "S" en una muy empinada cuesta.

Corrí a acomodarme para tomar una foto unos seis metros cuesta abajo. El silbato sonó cuando llegaba al mejor lugar. Creí que por el tren arrancaría lentamente debido a la inclinación del terreno. Acabando de tomar la primera fotografía, escuché avanzar el tren.

El ruido de las conexiones de los vagones me indicó que esto iba en serio. Antes de la segunda foto, pude ver que el tren iba subiendo la montaña a toda velocidad. La gente me gritaba que corriera. Estaba seguro de que podía ganarle a un tren que apenas arrancaba para iniciar un inclinado ascenso. Después de unas tres zancadas por la rocosa ladera, me di cuenta de que el tren podía establecer marcas mundiales. De cero a sesenta en cuestión de segundos, o eso me pareció a mí. Iba a toda carrera junto al tren, visualizando historias que había escuchado de niño sobre vagabundos que habían sido despedazados por el tren. Al pasar rápidamente junto a mí una puerta abierta, levanté mi cámara para que los pasajeros pudieran tomarla y yo pudiera agarrarme del pasamanos. Me tomaron del brazo y me izaron hacia la plataforma. Dije "Muchas Gracias" a todos, rodeado de sonrisas y carcajadas. Otro día común y corriente en el Barranca del Cobre Vista Dome. Generalmente tomo al menos tres fotografías del mismo objeto para estar seguro; en este caso me tuve que conformar con una sola.

El tren se internó en las barrancas, yendo de matorrales desérticos a bosques alpinos en dos horas. Otra parada de cinco minutos en el famoso "Divisadero" y una segunda carrera hacia el impaciente tren. Fui un poco más conservador al escuchar el primer silbato y subí a bordo justo cuando el tren se sacudía hacia delante. La parada en Divisadero fue increíble. La vista panorámica de la Barranca del Cobre se extendía bajo nuestros pies, mientras que niños tarahumares vendían sencillas cestas tejidas y muñecas de madera junto al barandal.

Un fresco aire alpino dio la bienvenida a los pasajeros del tren cuando arribamos a Creel ya avanzada la tarde. Un pequeño pueblo en las montañas, con un aserradero, varias iglesias, tiendas de artesanías y algunos hoteles, Creel podría se "cualquier lugar del viejo oeste de los EEUU". Es como un poblado indefinido, con baches en sus calles y gente trabajadora. Recuas de mulas y caballos son tan comunes como las camionetas.

Pronto nos enteramos de que un autobús hacía el recorrido a Batopilas, en aquel entonces era sólo una o dos veces a la semana, ahora el servicio es diario. También nos dimos cuenta que podíamos tomar autobuses "normales" a otras zonas de las remotas barrancas. Estos son una opción de "transporte más rápido y frecuente" para las familias de la localidad, dando lugar a atestadas naves terrestres, desplazándose por un intrincado mar de polvorientas barrancas. En lugar de esperar el autobús un par de días, nos dieron un aventón en un camión maderero que salía del aserradero a la mañana siguiente. De vuelta a las montañas, estos enormes camiones de plataforma se internan en un área de unos mil seiscientos kilómetros cuadrados para recoger árboles recién cortados.

El primer o segundo camión se detuvo para intercambiar saludos. Le pregunté al chofer hacia donde se dirigía, pero no pude entender su respuesta. Afortunadamente entendí que íbamos en la misma dirección y nos subimos.

Traqueteando por el camino, una mujer tarahumara y dos niños pequeños compartieron la plataforma con nosotros. Nos sentamos muy juntos para evitar que alguien se cayera a la cuneta -o algo peor.

Cada media hora, más o menos, el camión hacía una pequeña parada. En cada una le mostraba el mapa al chofer y le preguntaba hacia dónde iba. Aunque no me lo podía señalar en el mapa, nos aseguró que estaba cerca de Batopilas. Guachochi (un nombre indígena) me daba vueltas y vueltas en la cabeza, hasta que me di cuenta de que era un pueblo "grande" –al otro lado de la zona de barrancas, cerca de la Barranca de Sinforosa. ¡Tuvimos suerte! En nuestro primer día, conseguimos que nos llevaran por la sierra a un pueblo cercano a nuestro misterioso cañón.

Tenía dos objetivos para la expedición: encontrar la catedral perdida, y visitar la barranca más grande y espectacular de todo México.

Todo el día, bamboleando, subimos una montaña tras otra. La madre tarahumara se apeó mucho antes del medio día y desapareció por una empinada cañada, con sus hijos trotando detrás de ella. Durante el día, varias personas gozaron de la generosidad de nuestro chofer, quien constantemente se paraba a recoger a gente local parada junto al camino. Aunque en realidad eran menos de ciento cincuenta kilómetros, nos tomó seis horas atravesar las montañas, interrumpidas por barrancas. Vimos a más de una docena de personas durante nuestro recorrido.

Al llegar a nuestro destino, Guachochi, sentí mayor respeto por los jinetes de toros de los rodeos. Sentía como si me hubieran fusionado la columna, desde el cóccix hasta la quijada. Sentía la mano adherida a la cadena que rodeaba la plataforma del camión, después de haberme sostenido durante tantas horas. Había apretado tanto los dientes (como para que no se me cayeran) que me fue difícil abrir la boca para decir ¡Muchas Gracias! El chofer se llevó su propina a la cantina de la localidad y nosotros nos fuimos cojeando a buscar un hotel.

A la mañana siguiente nos despertamos antes del amanecer, metimos unas maderas en la estufa para calentar café y descongelar nuestras botas. Nuestro hotel era una moderna construcción de piedra de dos pisos con una pequeña estufa de leña en cada habitación. Estaba nervioso al verter petróleo sobre las virutas de pino en la oscuridad previa a la aurora. El olor del petróleo ardiendo me trajo vagos recuerdos de mi abuela, prendiendo el fuego para el desayuno en nuestra granja en Indiana, despertando mi apetito de niño que deseaba avena con miel.

Esta mañana empezó con café caliente y tortillas frías. Afuera de nuestro hotel se respiraba la emoción, al reflejarse el sol en el vaho de nuestro congelado aliento. Contratamos una camioneta para que nos llevara al borde de la barranca más grande de todo México.

En el borde, la emoción creció cuando un cálido sol empezó a alejar a las delicadas nubes de la barranca, hacia lejanas mesetas cubiertas de pinos. No podíamos esperar para explorar este misterioso abismo, así que nos apresuramos a bajar.

Las barrancas son increíblemente engañosas. Aunque bajábamos verticalmente unos sesenta u ochenta centímetros con cada paso, al cabo de varias horas todavía estábamos en la parte alta de la pared del cañón. Si hubiera sido una montaña de las mismas proporciones, nos hubiéramos percatado de que nos tomaría mínimo un día el descenso y hubiéramos programado dos o más días para el ascenso.

En medio del asfixiante calor del día, bajamos decididos. Cambiamos de pinos a encinos, para finalmente internarnos en la zona desértica. Cojeaba fuertemente cuando llegamos al río. Había sido la vereda más empinada y larga que había encontrado en mis quince años de viajes por zonas agrestes. La Barranca Sinforosa es más profunda que el Gran Cañón del Colorado, y la vereda que tomamos es tan difícil como la Boucher Trail.

Esta expedición fue crítica para mi futura apreciación y entendimiento de la misión perdida. Los siguientes dos días, mientras me restablecía de una rodilla lastimada, tuve la oportunidad de reflexionar sobre el misterio que rodea esta colosal estructura. Mi adolorida rodilla me impidió unirme a mi más resistente compañero en caminatas de un solo día de duración, pero me hizo entender más esta región. Frecuentemente descrita como una de las zonas más agrestes del planeta, las barrancas rechazaron la intromisión de los desarrolladores occidentales durante más de 300 años. Las excepciones a esta regla son la misión de Satevó, fundada antes de 1750, y el cercano pueblo minero de Batopilas, cuyas construcciones que aún persisten fueron edificadas entre 1880 y 1910. ¿Cómo habían podido nuestros antepasados construir uno de los edificios más grandes de todo el Oeste de Norte América (anterior a 1920), en el fondo de uno de las barrancas más profundas del planeta?, era una de las interrogantes que más me intrigaba. ¿Quién? y ¿cuándo? me interesaban, pero el ¿por qué? era mi mayor incógnita.

Imagínese a un hombre solo en un país extranjero, con nativos hablando un aislado dialecto en un medio ambiente hostil. Un ser humano, con un sueño que nadie más podía comprender, construyendo una gran edificación gracias al trabajo voluntario de los indígenas que nunca habían visto ni siquiera una casa de adobe; gente que vivía en cuevas y protegida por matorrales. Imagínese algo más grande que un edificio; conciba un símbolo de fe – prevea la expresión física del espíritu universal. (Hoy en día, los parques nacionales son una expresión de ese mismo ideal.)

Descansando junto a unos de los ríos menos conocidos del mundo, en lo profundo de una de las barrancas más majestuosas del planeta, estos pensamientos me hicieron darme cuenta de lo insignificantes que son muchas de las obras modernas al aire libre. También me convencí de que la fe puede ser usada para obras importantes, *además* de mover montañas. Las montañas y barrancas son la mejor obra de Dios. Los grandes templos son la expresión física de la fe y de otra hermosa creación: el espíritu humano.

Cuatro días después, y a solo ochenta kilómetros de distancia, llegamos a Batopilas. Contratamos una mula para que cargara nuestros bultos hasta salir de la Barranca Sinforosa y conseguimos un aventón hasta este aislado pero próspero pueblo. Históricamente conocido como uno de los pueblos más ricos de México, Batopilas fue construido gracias a sus yacimientos de plata. Siendo todavía una de las mayores exportaciones de México, la plata ha atraído a hombres de los cuatro continentes hasta este remoto lugar. Trajeron consigo las habilidades necesarias para construir un bello pueblo y extraer grandes cantidades del metal de las entrañas de la Tierra.

El yacimiento de Batopilas fue descubierto a fines del siglo XVI. Se abrieron minas, que fueron pasando de una compañía a otra durante muchos años. Las fortunas de los pobladores aumentaron y decrecieron, dependiendo de la producción de plata y de la situación política existente. La mayoría de las hermosas construcciones de Batopilas se erigieron entre 1880 y 1910, cuando la zona vivía un clima político estable y una alta producción de plata.

La plata mexicana costeó el hermoso pueblo y un pragmático norteamericano de nombre Alexander R. Shepherd, fue la fuerza impulsora de la mina durante sus años más productivos. Shepherd pasó gran parte de su vida construyendo Batopilas y sus alrededores. Siempre reinvirtió las utilidades en maquinaria más eficiente y en mejoras para la comunidad, tales como puentes, acueductos y electrificación. Fue hasta pocos años después de su muerte que los accionistas empezaron a recibir sus dividendos.

La mayoría de los logros de Shepherd se encuentran actualmente en ruinas. La Hacienda de San Miguel, la cual fue residencia familiar, oficina y planta de beneficio, se encuentra cruzando el río en Batopilas. Al explorar estas ruinas, uno puede sentir su anterior grandeza y admirarse de la visión que trajo a la vida de este hermoso lugar.

Aunque la riqueza material de Batopilas desapareció al cerrarse las minas, sus tradiciones culturales son su mayor riqueza. El hijo de Shepherd, Grant, describe cómo se transportó el primer piano a Batopilas. El piano vertical recorrió 300 kilómetros, atravesando montañas y barrancas. Veinticuatro cargadores, trabajando en tres turnos, se alternaban cada 20 -30 minutos. Les tomó entre 15 y 20 días el trayecto. Se dice que la mayoría de los cargadores eran tarahumares, a quienes se les pagó un dólar diario por su esfuerzo.

Esta pródiga época productiva terminó con la época de la revolución, pero siguieron trabajando en las minas hasta mediados de 1940. El resultado de este histórico drama, con sus múltiples e interesantes antecedentes, es una moderna Shangri-la, situada en lo más profundo de una lejana barranca, junto a un río verde esmeralda.

Seis kilómetros río abajo se encuentra la gran iglesia, cuyo pasado, igual que su futuro, se encuentra a la deriva, anclado únicamente por la durabilidad de su construcción de ladrillo rojo.

Como un espejismo en un lugar inverosímil, esta "catedral" se yergue majestuosa, fuera de lugar. Las paredes de la barranca y el río son sus únicos acompañantes. Técnicamente, una catedral es la sede de un obispo. Sin embargo, el tamaño y compleja estructura de esta misión son superiores a la definición acostumbrada de "iglesia". Si las montañas y barrancas son catedrales creadas por Dios, entonces Satevó debe ser una catedral creada por la fe – para el espíritu.

Además, si fuera una iglesia, ¿para quién fue construida? No existen registros de una población considerable cercana a Satevó. Batopilas es el único poblado real, a una distancia de cinco horas cabalgando. Antiguos relatos de Batopilas mencionan que tomaba casi todo un día ir y venir a Satevó. Históricamente, Batopilas siempre ha tenido una iglesia lo suficientemente grande para cubrir sus necesidades espirituales. No existen ruinas, caminos, grandes minas u otras señales de habitantes previos. Actualmente viven, aproximadamente, una docena de familias en el valle de Satevó. Sin embargo, estos hogares de adobe están medio diseminados, no puede ni siquiera considerarse una pequeña villa.

La tradición oral, así como la información escrita, es incompleta y varía de persona a persona. Coinciden en dos cosas – es muy antigua y muy hermosa.

Personalmente, después de haberla inspeccionado más de cerca, no diría que la estructura misma es "hermosa". La misión muestra los estragos del tiempo y se hicieron esfuerzos para preservarla, no restaurarla. Sin embargo, Satevó se yergue altiva, soportando el peso del tiempo con más que dignidad.

La belleza es una cualidad que cada quien percibe de diferente manera, así como los valores mismos varían. En alguna ocasión leí que si llevas la belleza en tu corazón, los valores serían tu guía.

Cuando finalmente llegué a mi destino físico, no tenía idea de qué esperar y, en cierta forma, no esperaba nada. El tibio sol de febrero calentaba nuestros adoloridos huesos y músculos y brillaba suavemente sobre la catedral. Fue fácil sentarnos para descansar y admirar la escena. Un viejo indígena se acercó y se sentó cerca de nosotros. Le pregunté quién había construido la misión, cuándo y por qué. Me contestó que fue construida para los indígenas que trabajaban en las múltiples minas de oro y plata en las colinas de los alrededores. Mencionó que era muy antigua – la gran catedral más antigua de todo el norte de México. Dijo que era tan antigua que nadie sabía quién la había construido.

Me preguntó si deseaba un tour de las "Misiones". Atravesando el portal, mi auto-denominado guía me aseguró que estaba viendo las puertas originales labradas en encino; las cuales habían sido traídas en mulas desde las "altas" montañas. Parecían más inmensas las rejas que las puertas y al ingresar por ellas pude entender por qué los indígenas sentían que pasaban del mundo natural a la mismísima presencia de Dios. Un techo abovedado de piedra, se elevaba unos tres pisos sobre el vacío templo. Las losas, pulidas por el paso de cientos de años y miles de pies descalzos, cubren el lugar del eterno descanso de varios personajes, algunos sacerdotes entre ellos, según me indicó a susurros mi guía.

El anciano indígena me contó muchas cosas, pero gran parte se perdió en la traducción y se fusionó con los rayos del sol que entraban por las grietas y ventanas en lo alto. Sí le escuché decir que la gente del lugar estaba tratando de arreglar la catedral antes de que se partiera en dos por la gran grieta que corría a todo lo largo de la antigua estructura. Vi que estaban trabajando en las altas cúpulas. Le di algunos pesos. Estaba muy agradecido y guardó los billetes, junto con muchos otros, en el sagrario del altar.

Afuera tomé unas cuantas fotografías, recogí mi mochila y empecé a subir la barranca. En el último recodo del camino volteé a admirar el campanario, con su campana todavía en su lugar, que se dibujaba perfectamente contra el crepuscular valle.

Al regresar a Batopilas me encontré con que todo el pueblo estaba de fiesta. La gente estaba feliz y bailaba en las calles. Todos lucían una amable sonrisa y saludaban alegremente. El cableado para el nuevo sistema eléctrico estaba casi listo y corría el rumor de que se iba a reabrir la mina. De hecho, la electricidad se obtenía de una gran planta diesel colocada fuera de la entrada principal a la mina. Un transitable camino de un solo carril había sido construido cuatro años antes, de la Bufa a Batopilas, y ¡ahora iban a encender las luces! Era realmente un gran acontecimiento. Se dice que Batopilas fue la segunda población de México en contar con electricidad, sólo antecedida por la mismísima Ciudad de México.

No me di cuenta de lo que me esperaba. Previendo el pesado y largo viaje a Creel, el cual iniciaría a las 4 AM., me acosté temprano. Poco después, una pequeña banda –a la que había fotografiado antes- empezó a tocar. Para la medianoche la fiesta estaba en todo su apogeo y la banda se paseaba por todo el pueblo tocando sus alegres melodías. Para las 2 de la madrugada, la música era vigorosa pero irreconocible. Cuando abordé el autobús a las 4 de la mañana, todavía podía escucharlos tocando. Se oían como una banda de cuerda a la que se le estaba acabando la misma. Tocaban cada vez más despacio, pero con todo el corazón. Estoy seguro que tocaron hasta el amanecer.

El viaje de regreso a Creel fue "pesado", para no oírme demasiado quejumbroso. A los veinte minutos de haber salido, el pequeño autobús ya iba atestado, con la gente parada muy apretada en el pasillo. Afortunadamente yo contaba con unos 30 cm. de un asiento y logré quedarme dormido. Cuando desperté al amanecer, ya habíamos salido de la barranca y seguíamos avanzando lentamente por el camino, rodeados de pinos.

Al recordar mi experiencia, varias preguntas todavía me inquietan ¿Bajaron los antiguos sacerdotes de las altas montañas hacia las escarpadas barrancas para fundar Satevó o llegaron por el río, de los inexplorados valles al oeste? Quién y cuándo son preguntas de tipo histórico, pero el por qué por muchos años siguió siendo la pregunta primordial.

Cuando vi Satevó por primera vez, no sabía lo que era en realidad este edificio. Primero que nada, la estructura es enorme. Sería difícil equipararla con una gran iglesia de una ciudad importante. En segundo lugar, la complejidad de su diseño es notable. Satevó tiene tres domos –uno grande, uno mediano y uno pequeño sobre el campanario. También tiene cuatro medios domos y un techo abovedado. No soy ningún experto, pero tras haber visitado por lo menos media docena de misiones coloniales, no recuerdo que ninguna fuera tan grande o notable. Lo que sí es seguro es que ¡ninguna otra ha sido construida en un lugar tan impresionante o agreste!

Para tener una perspectiva adecuada sobre la antigüedad y remota localización de la Misión de Satevó, imagínese cómo se habrá sentido John Wesley Powell, el 16 de agosto de 1869, mientras exploraba el Bright Angel Creek en el Gran Cañón y se hubiera encontrado las bien conservadas ruinas de una gran iglesia, con todo y campanario. Imagínese hoy en día, caminando hasta el Phantom Ranch y explorar unas fantásticas ruinas de una edificación construida antes de la firma de la Declaración de la Independencia de los Estados Unidos (1776). sería impactante, ¿no lo cree usted?

A fin de cuentas, lo que más me impresionó fue el espíritu de Satevó. Algunos podrán ver únicamente unas ruinas deshaciéndose, rodeadas de un polvoriento valle desértico. La experiencia que yo viví fue la barranca, el río y la catedral. Fue hermoso y siguió siendo por muchos años, un misterio por resolver.

Información General

Esperé muchos años antes de planear mi primera gran expedición al corazón de la zona de barrancas de la Sierra Madre. Todo cuanto había leído o escuchado me llevaba a creer que cualquier aventura para acampar estaba destinada, desde un principio, a grandes penalidades, peligro y posibles desastres. Entrevisté a docenas de campistas que habían regresado de expediciones a los cañones. Todos contaban historias similares a los artículos de revistas que había leído. La mayoría de los aventureros que regresaban decían que el desplazarse era difícil, si no imposible; que había muchos peligros y que ninguno había podido alcanzar sus metas.

Esto último era lo que realmente me detenía. No me importaba, como dijo un escritor, "precipitarme por un barranco y agarrarme de una variedad única de hiedra venenosa con espinas para salvar mi vida". Ya había tenido bastantes experiencias similares en los cañones del *Mogollón Rim* en Arizona. Un escritor de una revista importante a nivel nacional relató que él "tuvo que reptar bajo peñas en las riberas de los ríos como víbora, escalar sobre desfiladeros resbalosos como araña de agua, nadar en grandes pozas como pez y machetear una jungla de cactus como un guía de safari a mano pelona". Otro escritor dijo que "los mapas fueron hechos por un piloto que dibujaba con una mano mientras trataba de obtener un vistazo del terreno entre las nubes". Estas son buenas descripciones hechas por escritores profesionales (hábitat natural – Noreste de los EEUU) tratando de realizar el arte de *cañonear* sin entrenamiento ni práctica. Lo que realmente me preocupaba era que nadie había logrado su objetivo expedicionario. Sabía, por experiencia propia, que era fácil desperdiciar dos semanas vagando entre un pastizal y otro, o pasar varios días tratando de atravesar varios kilómetros por el fondo de la barranca.

El fondo de la barranca tiene los paisajes más espectaculares, por lo que lo mejor es caminar hacia el río siguiendo las veredas naturales hechos por el paso constante de los animales y realizar una caminata durante el día. Si desea explorar dos áreas, a treinta y cinco kilómetros de distancia, es más fácil explorar una zona y regresar al borde, para caminar u obtener un aventón hacia la siguiente zona y descender una vez más cañón adentro.

Al contrario que en las montañas y cañones de los Estados Unidos, esta área de las barrancas está habitada, por lo tanto, casi todas las veredas llevan hacia los pastizales para sus animales. Generalmente, todo desplazamiento en las barrancas no es de un paisaje hermoso a otro, sino de un hogar a un pastizal, a otro y a otro. Existen pocos caminos directos en la zona de las barrancas, aunque hay algunas veredas principales en varias zonas, que van de borde a borde.

Guías: En ocasiones hay gentes locales disponibles para guiarlo en sus caminatas. Ocasionalmente algunos indígenas se alejan de sus actividades cotidianas y con el fin de ganar un dinero extra para sus familias se contratan como guías. Si contrata este tipo de personas, recuerde que se trata de un ranchero, lo puede guiar durante varios días, pero puede pasar que la preocupación por su familia lo haga quererse regresar antes de que termine su encomienda. Inclusive puede pasar que ni le avise que se va. Este comentario es con el fin de informarle que un responsable hombre de familia puede NO ser un guía confiable. Si contrata un guía de estos, le recomiendo que planee un viaje corto y esté consciente de que existe la posibilidad de que no lo acompañe hasta el final. Además tome en cuenta que usted tiene que proveerle todos sus alimentos.

Guías locales; El Departamento de Turismo del Gobierno del Estado realizó un curso de formación de guías locales para la Zona de Creel. Son gente serrana con preparación básica y noción exacta de lo importante de su labor.

Guías Profesionales: afortunadamente se ha avanzado tanto en esta actividad en la zona de las barrancas que ya se pueden contratar guías profesionales con alto sentido de responsabilidad y entrenados bajo estándares de clase mundial en las distintas disciplinas. Los puede usted contratar con toda anticipación tanto en la ciudad de Chihuahua como en Creel.

Estacionalidad: para el fondo de las barrancas, la época fresca y seca que más le recomendamos para acampar es de enero a marzo.

DESTINOS PARA CAMINATAS Y PARA ACAMPAR

Otras áreas cubiertas por esta guía, en forma general, son algunas de las caminatas que se mencionan más abajo. Se les sugiere nuevamente debido a su importancia, junto con algunas áreas nuevas. El siguiente es un sistema para clasificar su dificultad. "A" – Muy difícil; "B" – Moderadamente difícil; "C" – Fácil. Los signos de más o menos indican pequeñas variaciones.

Una vez que haya realizado cuatro o cinco de estos viajes, tendrá suficiente experiencia como para hacer sus propias rutas. Esta guía menciona docenas de otras áreas interesantes, incluyendo mapas e información básica, siempre y cuando usted estudie este material.

Caminata #1 – Cascadas de Basaseachi, clasificación "C+"; esto es al fondo de las cascadas y se detalla la información en la sección del Parque Nacional Cascadas de Basaseachi. Es una caminata de un día, con una duración de 5 horas, viaje redondo.

Caminata #2 – Barranca del Cobre-Tejaban es el camino típico del Divisadero en el Cañón del Cobre. Esta caminata tiene clasificación "B+" y toma varios días. La caminata inicia cerca del aserradero in Cusárare y cruza varios cordilleras altas antes de llegar al Tejaban. Aunque no es una caminata realmente difícil, cruzar el terreno montañoso hasta el borde del barranco puede ser exasperante. Existe un laberinto de caminos de explotación forestal y veredas donde uno puede perderse fácilmente. Por lo tanto, se recomienda que no se aventure por estos caminos sin la asistencia de un guía de la región.

En mi segundo viaje a este increíble mirador, utilicé una Chevy Blazer 4x4. Aún con la experiencia anterior, tomé varias veces el camino equivocado pero pude regresar y encontrar la ruta correcta. Hay dos tramos sumamente escabrosos de "camino", al descender de la montaña a la mesa donde anteriormente existía una villa conocida como El Tejaban.

Históricamente se sabe que había una gran mina subterránea de cobre en el fondo del cañón, debajo del Tejaban. Todavía se le explota a mano, extrayendo un poco de oro y posiblemente plata. Varias familias mestizas viven cerca de la mina e intercambian pequeñas pepitas de oro blanco por artículos de la canasta básica que les permite sobrevivir.

En el borde superior viven varias familias tarahumaras y los hombres jóvenes es ocasiones están disponibles como guías. Desde Tejaban, la vereda inicia como un camino 4x4 abandonado y después de aprox. 1.5 Km. se convierte en una vereda, cerca de las ruinas de una cabaña. Este camino inicia en dirección oeste-noroeste y la vereda que sale cerca de la cabaña toma la dirección contraria, hacia el sureste. En este punto, el camino desciende en forma abrupta siguiendo una serie interminable de pendientes en zigzag. Como un kilómetro abajo de las ruinas de la cabaña se encuentra un manantial (purifique toda el agua). Poco después se encuentra un cruce de caminos. El camino de la izquierda es para caminantes atrevidos y el de la derecha es para valientes recuas de mulas. El camino de la izquierda baja en una pendiente pronunciada hasta la mina. Aunque no he recorrido el camino de mulas, creo que desciende en forma menos pronunciada y llega al río como a kilómetro y medio de la mina.

En el río se encuentran un sinnúmero de formaciones, unas naturales y otras hechas por el hombre. Se reservan los detalles para que usted las explore y descubra. Planee pasar por lo menos dos noches disfrutando esta parte única del cañón.

Es posible caminar por el lado opuesto del borde y llegar al camino a Samachique. Esta es una mesa solitaria con poco tráfico. Si se realiza la caminata completa de Cusárare a Samachique, habrá recorrido una de las partes más interesantes del Camino Real. Este Camino Real era la ruta que fue utilizada para llevar la plata de Batopilas a la ciudad de Chihuahua en los albores del siglo XX. Es, por mucho, una de las zonas alejadas más fascinantes del Cañón del Cobre y la Sierra Tarahumara.

La distancia de Cusárare a Tejaban es de aprox. 25 Km.; un kilómetro y medio más hasta el final del camino, donde está la cabaña en ruinas y tres kilómetros más de allí al fondo del cañón.

Tejaban es encantador de septiembre a noviembre y de marzo a abril. La zona de la mina de cobre es ideal de noviembre a marzo. Recuerde que Tejaban, está localizado en el borde de la barranca a unos 2,125 metros, tiene un clima que va de fresco a frío y la mina, que se localiza a unos 900 m, va de cálido a caliente. La mejor época para visitar la zona, sin lugar a dudas, es durante el invierno.

Nota: Tejaban no tiene agua potable durante la época de estío; quiero enfatizar de nueva cuenta que es muy recomendable contratar un guía para este recorrido.

Caminata #3 – Barranca La Sinforosa tiene una clasificación "A" y se accede a ella por la ciudad de Guachochi. Al llegar a Guachochi pedí que me llevaran a las Cumbres de Sinforosa. Me costó veinte dólares el viaje de dieciséis kilómetros en taxi hasta el borde del cañón. ¡El mirador tiene una vista espectacular! La vereda hacia el fondo es la más inclinada que jamás haya utilizado. Esta barranca es mucho más profunda que el Gran Cañón del Colorado. Me hubiera servido de mucho el consejo de realizar el descenso en dos días, así que se lo paso al costo. En el fondo de la barranca exploré una pequeña aldea de una mina de plata abandonada. Hay hermosos pasajes por los estrechos cañones río arriba y abajo, y dos cañones grandes a los lados, con cascadas distantes varios kilómetros una de la otra, a ambos lados de la vereda.

Mayor información sobre la Barranca Sinforosa se puede conseguir en la sección de "La Catedral Perdida" de esta guía. Los mejores meses para realizar estos recorridos son de diciembre a febrero.

Caminata #4 – Batopilas a Urique clasificada "A/B" y para pernoctar. Esta es probablemente la caminata más famosa de la zona de las barrancas. No es, sin embargo, una de mis favoritas. Creo que el tiempo invertido en este escabroso viaje se aprovecharía más en otro lado. El camino se aleja del cañón principal en La Junta, pasa por Cerro Colorado y vira hacia el noroeste, por una alta colina que divide los Cañones de Batopilas y Urique. Los mestizos han sustituido a los tarahumaras en gran parte de esta ruta. Recomiendo que contrate un guía de Batopilas, ya que en esta zona hay una cantidad impresionante de caminos y veredas que lo pueden extraviar. Aunque el viaje puede realizarse en 3 días/ 2 noches, recomiendo que se planee para cuatro noches, ya que es necesario pasar una o dos noches en Urique. Cada mañana hay un camioncito que cubre la ruta de Urique a donde está la estación de ferrocarril Chepe en Bahuichivo. Esta caminata es principalmente para aquellos que desean hacer ejercicio y alejarse de la civilización por varios días.

PATROCINIO LÓPEZ • LA VIDA DE UN MODERNO KOKOPELI TARAHUMAR

Patrocinio López nació en un pequeño poblado en la barranca de Batopilas en 1964. No se registraron el mes y el año, práctica común entre los de su tribu. Él al igual que sus amigos de la infancia creció dentro de una familia indígena tradicional. A temprana edad empezó a ayudar a sembrar maíz y frijol, así como a desyerbar los campos durante los calurosos meses del verano y el otoño. En su juventud tomó conciencia de que tendría que procurarse los alimentos trabajando con familiares, cazando pequeños animales y encontrando plantas comestibles. Siendo un joven pastor de cabras, le encantaba tocar el *chapareke*, (instrumento precolombino de dos cuerdas montadas sobre un ancho palo). Aunque la vida en familia era cálida y amorosa, desde una temprana edad todos los miembros sabían que debían contribuir y trabajar arduamente para mantenerse a sí mismo y a los demás miembros de la familia.

La vida de Patrocinio cambió drásticamente como a los doce años de edad, cuando su padre murió sorpresivamente. Aunque la familia ayudó a mantener a los hermanos, él deseaba ayudar a su madre a superar los difíciles años que siguieron a la muerte de su padre. Las decisiones que tomó cambiaron su vida, la de su familia y aún la de su pueblo.

Patrocinio, un flaco y desnutrido niño tarahumar de la sierra, bajó por la vereda de La Bufa a Batopilas para trabajar como cargador de bultos y mercancía que debían ser llevadas al pueblo. Su escolaridad era de tercer año de primaria, era muy joven todavía y recibía en pago unos cuantos pesos al día. Con este escaso ingreso, se pudo sostenerse él, su madre y varios de sus hermanos.

Mediante su empeño en el trabajo y su nata inteligencia, logró adquirir habilidades para los negocios y la autoestima que lo caracteriza como hombre hoy en día. Estos primeros años le enseñaron a tratar con el mundo exterior y este conocimiento lo ha ayudado a él y a todo su pueblo. Durante todos estos años, creció su amor por la música y las tradicionales celebraciones tarahumaras. Aunque trabajaba para el mundo exterior, todas las noches volvía a casa y se convirtió en un líder y organizador de eventos religiosos y sociales de su pueblo. Cuando contaba con catorce años, cargaba hasta 170 kilos desde la oficina de correos en La Bufa a la plaza de Batopilas, distante 24 Km. y trotaba de vuelta a casa, unos 16 Km. cuesta arriba, hacia las aisladas paredes de roca que protegían a su familia y amigos.

El primer contacto de Patrocinio con los norteamericanos fue anecdótico. Cuando se terminó de construir la carretera de La Bufa a Batopilas, muchos tarahumaras perdieron sus "empleos" como cargadores. La única fuente de ingreso de dinero para muchas familias durante tres siglos había sido cargando bultos hasta el pueblo minero de Batopilas. Con la terminación de la carretera, vehículos de motor reemplazaron a los tradicionales cargadores tarahumaras.

Richard D. Fisher iba al volante de un vehículo 4x4 con un pequeño grupo de turistas rumbo a Batopilas cuando vio a un indígena solitario parado junto a la carretera al anochecer. Parecía como que este tarahumara podía necesitar un aventón, por lo que se le ofreció. Al llegar al pueblo, Patrocinio bajó del vehículo, se giró y caminó de vuelta a casa. Esto no lo entendían los americanos. Años después se supo que Patrocinio estaba buscando trabajo por la carretera para poder alimentar a su madre y a su joven esposa.

Este encuentro fortuito entre dos hombres jóvenes de culturas muy diferentes, tuvo un profundo efecto en cientos, o quizás miles, de personas en México, los Estados Unidos y ahora Europa. Patrocinio ha viajado más de diez veces a los EEUU como cabeza del grupo de corredores y como organizador de un grupo de danza y cultura tarahumara. De 1991 a 2001, Fisher y Patrocinio han sido responsables de la entrega de más de 125 toneladas de alimento principalmente grano, a los tarahumaras durante esta década de sequía.

El violín que aquí se muestra fue elaborado por Patrocinio López. Siembra principalmente maíz, frijol y calabaza para su consumo familiar y fabrica violines en su tiempo libre para poder comprar los alimentos que no puede sembrar, así como objetos esenciales que no puede elaborar, como cerillos, velas, hilo y ropa.

Los violines de Patrocinio son reconocidos tanto por su gran calidad en la mano de obra y por las cabezas talladas en forma de pájaros y animales. Como casi todos los verdaderos artistas artesanos, es más feliz cuando está en su taller fabricando violines. Ha ganado el concurso nacional en elaboración de violines en Creel durante seis años consecutivos. Cada primavera, Richard D. Fisher y él patrocinan un grupo de danzas tradicionales en los Estados Unidos, donde destacan sus violines, los cuales son muy apreciados. Estos los vende él directamente en los Estados Unidos, por aproximadamente $200.00 USD en adelante.

Los indios tarahumaras (son aprox. 40,000) han sido llamado pueblo de violinistas. Cuando los españoles introdujeron el violín en el siglo XVI, los indígenas se enamoraron de ellos y empezaron a elaborarlos. Por las noches, los paseantes pueden escuchar música tarahumara de violín por los cañones. La mayoría de sus celebraciones religiosas se acompañan con música de este popular instrumento.

Los tarahumares o Rarámuri, como se autonombran, viven diseminados en una superficie de unos 32,000 kilómetros cuadrados de escarpadas montañas y barrancas de la región de la Barranca del Cobre. Alrededor de unos 5,000 tarahumaras forman el último grupo de indígenas de Norteamérica que no han sido absorbidos por el mundo moderno. En pequeños grupos familiares, han logrado vivir en armonía con su medio ambiente, sembrando maíz, frijol y calabaza en las mesetas y praderas y en lo profundo de las barrancas. Son personas muy espirituales, dueños de una cultura muy rica.

Patrocinio vive con su esposa, siete jóvenes hijas y un hijo, Ricardo, en una casa de dos habitaciones, construida con una combinación de materiales – principalmente maderos cortados a mano, adobe y piedra, con un techo de vigas de madera. Se acerca agua al exterior de la casa mediante una tubería de plástico negro, la cual llega desde un manantial u ojo de agua a unos cuantos cientos metros de distancia. La carretera más cercana, energía eléctrica o cualquier cosa que sugiera aunque sea cierta modernidad, están a una distancia de medio día de caminata mínimo. La familia lleva una vida sencilla y apacible en el campo, típica de los indígenas.

En octubre de 2001 invitaron a Patrocinio a Italia para asistir a una de las principales escuelas para la elaboración de violines del mundo. Hasta este momento no ha podido realizar este proyecto, pero le gustaría hacerlo a corto plazo. Este es un evento histórico para el pueblo tarahumara y se da como resultado de un talento innato, muchos años de

arduo trabajo y la dedicación a la excelencia en todo lo que este joven tarahumar emprende.

Patrocinio López y Richard Fisher están planeando trabajar juntos en un nuevo proyecto, que consistente en grabar y publicar la historia oral de los mayores de su pueblo, antes de que los últimos tarahumaras tradicionalistas se vean absorbidos por el mundo moderno y la globalización.

Durante el último año del milenio, Patrocinio comentó que aun hay muchos indígenas que no hablan ni entienden el español y "no saben ni entienden las cosas del mundo moderno". Uno de sus hermanos, al que ayudó a mantener cuando era un joven cargador, es uno de estos indígenas tradicionales y terminará sus días, por elección propia, con este pacífico estilo de vida. Actualmente es obligatorio, legalmente, el que todos los niños vayan a la escuela y los padres enfrentan la posibilidad de ir a la cárcel si uno o más de sus hijos se quedan en casa a vivir según sus tradiciones, por lo que esto cambiará la vida de estos maravillosos seres humanos para siempre.

Patrocinio está feliz de haber abierto la puerta hacia la modernidad, pero está comprometido a llevar toneladas de semilla a su gente, junto con su amigo Richard D. Fisher y otros. Esto representa una oportunidad de supervivencia para aquellos que han elegido la vida tradicional en una era de globalización. La libertad de credo y de estilo de vida de este pueblo es gratificante para López y Fisher, dos grandes amigos que se conocieron por casualidad, al atardecer de hace muchos años, por un terregoso camino nuevo.

Se puede comunicar con Patrocinio Lópezc/o Richard D. Fisher – P. O. Box 86492 – Tucson, AZ 85754 – (520) 882-5341– sunracer@theriver.com

COPPER CANYON NATURAL HISTORY ASSOCIATION
Asociación de Historia Natural de las Barrancas del Cobre
Natural History and Cultural Research Association

Asociación Cultural de Investigación de Historia Natural

La Barranca del Cobre y la Sierra Tarahumara que la rodean, son un vasto conjunto de barrancas, con una cultura y medio ambiente únicos. Este sistema, el cual va de una altitud de los 220 a 3,306 metros sobre el nivel del mar (msnm), es uno de los más variados del planeta. Esta belleza natural se ha convertido en uno de los destinos para ecoturismo con mayor crecimiento en América. Ante tal auge, es sorprendente que no exista una dependencia o un esfuerzo centralizado para interpretar y preservar estos tesoros de la Sierra Madre. Nuestra meta es establecer dicho centro en el puente Humirá.

Durante sus visitas a los Estados Unidos, los Tarahumara han demostrado un gran entusiasmo por el *Arizona Sonoran Desert Museum* en Tucson, Arizona, el *Ghost Ranch Wildlife Center* y el *Native American Cultural Resource Center* en Nuevo México. Han expresado su deseo de que se establezca este tipo específico de centros en la Barranca del Cobre, en su tierra, con su trabajo y en su beneficio. Programas de conservación y parques nacionales de Nepal, Tailandia, Perú, Venezuela y por toda África, han tenido gran éxito al trabajar con las tribus locales para desarrollar programas sustentables a largo plazo para la reutilización de recursos.

Es hora de empezar a buscar formas de trabajar con los tarahumaras para proteger su medio ambiente y asegurar que obtengan beneficios. Yo creo que el centro para investigación de la cultura y vida silvestre propuesto es el siguiente paso lógico. Invito a aquellas personas que creen que ha llegado el momento de tomar cartas en el asunto para que se unan a este esfuerzo mío y de los tarahumaras. Este proyecto provee empleo a los tarahumares. En la época actual, un centro de investigación de la vida silvestre, propiedad de los tarahumares y operado por ellos mismos, tiene gran sentido como un destino turístico y proyecto económico indígena, que rinda utilidades.

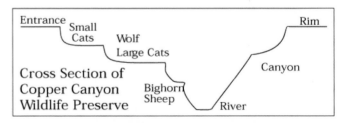

Cross Section of Copper Canyon Wildlife Preserve

MATA ORTIZ

UNA NUEVA GENERACION EMERGE

Actualmente hay más de trescientos alfareros en Mata Ortiz. Por mérito propio, una media docena de ellos han destacado a nivel internacional. Entre aquellos que recientemente han sido reconocidos están Rubén Rodríguez, Luis Martínez, Graciela Martínez, Manolo Rodríguez, Elías Peña, Nicolás Quezada, Elena L. Rodríguez, Pilo Mora y Humberto Ponce de Nuevo Casas Grandes.

La historia tras la tradición alfarera tiene sus inicios en la zona arqueológica de Paquimé (Casas Grandes). La gente que habitó esta ciudad entre los años 1060 y 1340, elaboró vasijas de barro con dibujos muy elaborados. Esta antigua tradición cesó abruptamente y permaneció en el olvido durante más de siete siglos.

El método para crear esta alfarería es descrita por Tito Carrillo, un comerciante y reconocido experto, como sigue: los pinceles utilizados para aplicar los pigmentos se elaboran con cabello de niños. Un solo cabello, de unos 5 cm. de largo, se utiliza para pintar las delgadas líneas, creando así los intrincados diseños que distinguen a cada pieza.

Cada pieza se elabora utilizando un método de pellizcado. La base consiste en una pieza plana de barro en forma de tortilla. Esta se pone dentro de un molde en forma de olla, el cual determinará el tamaño de la pieza. El barro se alisa con movimientos hacia fuera y presionando hacia abajo. Se pellizcan los lados hacia arriba, formando así la parte inferior de la pieza. Se une una tira de barro a la orilla exterior de la forma y se continúa con el método de pellizcar y girar. Una vez que se le da la forma básica, se refina usando varias herramientas, como la parte dentada de una sierra o un trozo de hojalata pulida. Este procedimiento tarda como dos horas.

Mientras la pieza está todavía húmeda, se le aplica una capa de arcilla diluida y se pinta el diseño. Pintar la pieza puede tomar tres horas más. En ocasiones, inmediatamente después de pintarla, se le frota suavemente una película de plástico con la bruñidora con el fin de que se sellen los pigmentos en el barro y así evitar que se corran cuando se pulan, ya secas, con un ágata pulida.

En este momento la pieza se encuentra lista para ser cocida. Una pequeña porción de estiércol de vaca se prende hasta que se haga brasa. La olla es colocada en una pequeña rejilla metálica justo encima de la brasa. Se cubre con una jaula metálica que se cubrirá con más estiércol, en forma de panal de abejas. Se encenderá y permitirá que éste se consuma por completo (unos veinticinco minutos aprox.). Cuando se termina la cocción, se retira la jaula y se cuelga la olla para enfriarse. Así termina todo el proceso.

Estas fotografías son cortesía de Tito Carrillo de la Casa Molina, Curio Shop – 6225 E. Speedway Blvd. - Tucson, AZ 85712 – (520) 290-0305 – Celular (520) 861-2068

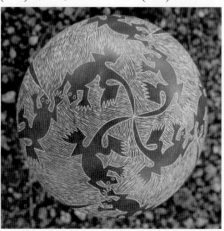

LA TRADICIÓN CONTINÚA

La tradición de elaborar piezas de cerámica en el poblado de Mata Ortiz se inició hace apenas treinta años, gracias al genio de un hombre: Juan Quezada Celado. En sólo cuatro años enseñó a su hermano menor, Nicolás, y a su hermana mayor, Consolación, la magia de crear frascos de cerámica a partir de barro, fuego y agua. Y empezaron a enseñar esta técnica a todo aquel que se interesó en aprender.

Para 1976 Juan trabajaba ya con sus hermanos, Nicolás y Reynaldo, así como con sus tres hermanas, Consolación, Reynalda y Lidia, y la amiga y vecina de esta última, Taurina Baca. Este fue el grupo principal que sentó las bases de lo que ahora llamamos Cerámica de Mata Ortiz estilo Quezada.

Gracias a la visión innovadora, generosidad, tenacidad, calidad y destreza, cientos de hombres, mujeres y niños han creado un movimiento artístico que está transformando toda la región norte de Chihuahua movimiento que algunos llaman "El Milagro de Mata Ortiz". Cuando una pieza de cerámica logra la perfección, nos hace ver el alma del artista y entablar una comunicación directa entre éste, su creación y nosotros mismos. Este lenguaje mudo de la cerámica es lo que impulsa la aventura de Mata Ortiz, inspirándonos a ver hacia el futuro. Y la tradición continúa.

En los Estados Unidos, comunicarse con: Jim Hills en el Arizona-Sonora Desert Museum Gift Shop – 2021 N. Kinney Rd. – Tucson, AZ – (520)578-3008 – email: giftshop@desertmuseum.org

En México, comunicarse con: Luz María (Mayté) Luján en Las Guacamayas Galería de Arte – (636) 692-41-44 – email:maytelujan@laplaya.com.mx

Mata Ortiz: A New Generation Emerges

There are more than three hundred potters in Mata Ortiz today. A half dozen of these have become outstanding international artisans in their own right. Among those most recently recognized are Ruben Rodriguez, Luis Martinez, Graciela Martinez, Manolo Rodriguez, Elias Penya, Nicolas Quezada, Elena L. Rodríguez, and Humberto Ponce who is from Nuevo Casas Grandes.

The story behind the pottery tradition begins with the Paquimé (Casas Grandes) ruins. The people who lived at Paquimé between A.D. 1060 and 1340 made intricately painted clay containers. This ancient tradition ended as abruptly as it began lying dormant for a full 700 years.

The method for creating this lovely art form is described by Tito Carrillo, a long time trader and recognized expert, as follows: Brushes for applying pigments are now made from children's hair. A single strand approximately two inches long is used to apply the fine lines. These lines create the intricate patterns and mazes defining the character of an individual piece.

Each piece is formed using a pinching method. The base begins with a flat tortilla-shaped piece of clay. This piece is laid into a bowl-shaped mold. This mold determines the size of the pot. The clay is then smoothed outward by pressing it into the base. The sides are then pinched upward by hand forming the lower half of the pot. A rope of clay is joined to the outer edge of the form and then the pinching and turning method continues. Once the basic shape is formed, it is then refined using various tools such as the toothed edge of a hacksaw blade or a piece of rounded tin. This operation takes about two hours.

While the pot is still wet, slip is applied and the design is painted. Painting takes approximately three more hours. Immediately after painting, sometimes a thin film of plastic is placed around the pot and rubbed lightly with the polishing stone. This seals the pigments into the clay to prevent smearing when the pot is completely dry and the final polishing is done using a smooth tumbled agate.

At this point the pot is ready for firing. A thin layer of cow chips is ignited and allowed to burn to coals. The bottom of the pot is placed on a small wire rack just above the coals. A wire cage is then placed over the pot and cow chips are built up covering the cage in a beehive fashion. This mound is then ignited and allowed to burn to ashes (approximately twenty-five minutes). When the firing is complete, the cage is removed and the pot is hung to cool. This completes the entire process.

These photographs are provided courtesy of Tito Carrillo of the Casa Molina Curio Shop • 6225 E. Speedway Blvd. • Tucson, AZ 85712 • (520) 290-0305 • Mobile (520) 861-2068.

CUEVAS CON CASAS EN LA BARRANCA DE HUAPOCA-MADERA
Cortesía de ***www.great-adventures.com***

Al inicio de la primavera hay montículos de nieve en las sombreadas hendiduras de la alta sierra. El viento lleva todavía un poco del frío invernal y en ocasiones se doblan las ramas de los fuertes pinos, esparciendo su fragancia por los bosques de Madera. Al norte del pueblo, en el angosto desfiladero del Arroyo del Garabato, los primeros rayos del sol se posan en los riscos color salmón, que se precipitan hacia el río. En este lugar, las casas se encuentran dentro de salientes rocosas de enormes paredes. El sitio arqueológico de Cuarenta Casas es el más conocido y de fácil acceso de las cuevas y barrancas con casas en el norte de México. No se tiene la certeza de por qué fueron construidas, pero su ubicación, muy arriba del río y con una vista que abarca tanto la sierra como la barranca, parece indicar que pudieron haber sidos puestos de vigía por una antigua ruta comercial que unía Paquimé con el Pacífico.

La gran cultura Paquimé floreció como el principal centro ceremonial y comercial del norte de México alrededor de los años 900 al 1350. Sus rutas comerciales llegaban al Pacífico, el Golfo de México y a otros centros culturales hacia el norte, tales como Mesa Verde en Colorado y Chaco Canyon en Nuevo México. Las rutas hacia el Pacífico seguían el Río Piedras Verdes hacia el sur y se conectaban con ríos que fluyen hacia el Pacífico, por arroyos más pequeños y barrancas. Entre estas se encuentra la Barranca de Huápoca, localizada al oeste de la ciudad de Madera. La Barranca de Huápoca no es de las más profundas de la Sierra Tarahumara, pero posee el mayor acervo arqueológico.

Existen cinco conjuntos de cuevas con casas que se pueden visitar cerca de Madera. Hacia el norte están **Cuarenta Casas** y la **Cueva del Puente**. A principios del siglo XVI, el explorador Álvar Núñez Cabeza de Vaca escribió, "…y aquí, por un lado de la montaña, nos introdujimos tierra adentro más de 50 leguas y allí encontramos cuarenta casas". No se sabe a ciencia cierta si en realidad había cuarenta casas, ya que existen menos hoy en día. Se pueden apreciar del otro lado de la barranca, desde la cabaña de visitantes. No todas están abiertas al público, excepto la **Cueva de las Ventanas**, la cual tiene edificaciones de adobe estilo Paquimé, de unos 1,000 años de antigüedad, con los típicos portales en forma de T y pisos de estuco. La Cueva de las Ventanas es más grande que la Cueva del Puente y para llegar a ambas se recorre una empinada vereda en muy buenas condiciones, que dicho sea de paso, requiere de gran esfuerzo físico, requiriéndose una hora aproximadamente para el viaje sencillo.

Al oeste de Madera se encuentran las **Cuevas Anasazi** y la **Cueva Grande**. Aunque en un mapa se ven relativamente cerca una de la otra, los caminos y veredas hacen que sea difícil visitar ambos lugares en un mismo día. Se supone que hay guías disponibles, pero esto no es siempre cierto, por lo

que se recomienda que los visitantes sean acompañados por alguien que conozca bien el camino. Las cuevas Anasazi consisten de la Cueva de la Serpiente y el Nido del Águila. La Cueva de la Serpiente es la más grande y contiene 14 casas de adobe, de más de un siglo de antigüedad. Nido del Águila solo tiene una casa, que se sostiene en forma precaria al filo de un escarpado risco bajo una saliente rocosa, lo cual explica su nombre. Las Cuevas Anasazi son consideradas por algunos como las más impactantes cuevas en barrancas con casas. Esto se debe a sus bien conservadas estructuras, la integridad del sitio mismo, el cual no ha sido víctima del vandalismo como lo han sido otros sitios, y a la magnífica vista sobre la gran extensión de la Barranca de Huápoca.

Frente a las cuevas Anasazi, el descenso de la sierra hacia la barranca es más gradual. La **Cueva Grande** se encuentra escondida entre los intrincados pliegues de la tierra y protegida por las ramas de altos árboles. La boca de la cueva está aún más oculta por una cascada que cae de arriba de la cueva hasta una poza y un arroyo. Aun en los meses más secos, cuando la pequeña cascada se reduce a un pequeño hilo de agua, el fino rocío captura los rayos del sol para pintar un delicado arco iris. Su belleza, aislamiento y constante abasto de agua, deben haber sido idílicos para la gente que habitó en esta reseca y escarpada zona. Una vereda se eleva de la poza hacia la entrada de la cueva, justo detrás de la cascada. Existen dos casas de dos pisos, de 800 años de antigüedad, que son un gran ejemplo de las técnicas de construcción utilizadas en esa época. También hay un granero redondo detrás de la estructura más cercana a la boca de la cueva.

El camino se bifurca justo antes de cruzar el puente colgante al fondo de la Barranca de Huápoca, en el camino hacia la Cueva Grande. El de la izquierda desciende hacia Agua Caliente de Huápoca, un pequeño manantial de aguas termales en las márgenes del río. Sus tibias aguas fluyen hacia una pequeña poza y continúan hacia el río, donde hay una poza natural para nadar. Se dice que Agua Caliente de Huápoca alivia gran variedad de enfermedades, pero es perfecta para aliviar los pies adoloridos después de haber recorrido el desigual camino hasta la Cueva Grande.

Es difícil encontrar un taxista que lo lleve a **La Ranchería**, donde hay unas hermosas ruinas que cubren una gran extensión en la base del Cañón de Sírupa. Localizada 50 Km. al sur de Madera (un trayecto en vehículo de 2 horas-viaje sencillo), hay una larga caminata (otras dos horas-viaje sencillo) por un difícil sendero. Un paseo de un solo día a La Ranchería implica un mínimo de 9 a 10 horas, con poco tiempo para explorar. El Cañón de Sírupa se disfruta más en una visita de 2 días, lo cual permite visitar la vieja Misión de San Andrés de Sírupa. Esta fue destruida durante la rebelión Tarahumara de 1690 y todo lo que queda es el casco de la hacienda que se construyó allí en 1830. Sin embargo, el paisaje es sumamente hermoso y hace que el viaje de media hora desde el pueblo de Sírupa valga la pena. Cerca de allí, el manantial de aguas termales Agua Caliente de Sírupa, brota de las márgenes del Río Sírupa, convirtiéndolo en un buen lugar para acampar.

Mejor Época: Durante la primavera y el otoño se tiene el balance perfecto de clima fresco en la sierra y tibio en la barranca. El inicio del otoño es particularmente hermoso, cuando los álamos y los alisos de Madera empiezan a cambiar de color.

Cómo Llegar: Madera cuenta con una infraestructura turística básica y es la ciudad más cercana a los sitios arqueológicos. Se puede llegar en autobús de las cercanas ciudades de Nuevo Casas Grandes, Cuauhtémoc y Chihuahua. Vea la sección "Cómo Llegar" del capítulo sobre la Sierra Tarahumara para información general sobre viajes a la zona de las Barrancas del Cobre desde otras ciudades mexicanas y norteamericanas.

Madera se localiza al sur de Nuevo Casas Grandes y al noroeste de Chihuahua. Hay dos formas de llegar desde Ciudad Juárez. La más larga, pero más interesante, es por la carretera 2 tomando hacia el oeste en Janos y de allí hacia el sur a Nuevo Casas Grandes y Buenaventura. Tome la Carretera 28 a Gómez Farías y unos 11 Km. después de esta última, tome la desviación hacia Madera. La distancia de Juárez a Madera por esta ruta es de unos 540 Km. La otra opción consiste en tomar la autopista a Chihuahua. En El Sueco, tomar la carretera a Buenaventura, de donde la Carretera 28 lo llevará a Gómez Farías y Madera. Esta ruta es de aproximadamente 490 Km.

Desde Chihuahua, tome la autopista a Cuauhtémoc (Carretera 16); pase esta ciudad y continúe hacia La Junta, Guerrero, Matachí, Temósachi y, finalmente, hasta Madera. La distancia desde Chihuahua hasta Madera es de 285 Km.

Para visitar este sitio arqueológico, existe una buena carretera hasta Cuarenta Casas y la Cueva del Puente, distante unos 45 Km. hacia el norte de Madera. Para ir a la Cueva Grande (66 Km.) y las Cuevas Anasazi (33 Km.) tome el camino de terracería que sale hacia el oeste de la rotonda que se encuentra en la entrada de Madera. Por este mismo camino, justo a la salida del pueblo, se encuentra la desviación hacia el Cañón de Sírupa, donde se localizan las cuevas del complejo La Ranchería (50 Km.).

Vestimenta/Equipo: Se requiere caminar bastante para visitar las cuevas con casas. Se recomienda usar botas para escalar ya que las veredas están bastante empinadas y hay bastantes piedrecillas sueltas, especialmente en los meses lluviosos del verano. La vestimenta deberá ser cómoda y apropiada según la temporada. Recuerde que las sierras son más frescas que las barrancas por lo que, aun en los meses de verano, se necesita una chaqueta ligera. Una linterna será útil al explorar el interior y los resquicios de algunas cuevas. Un traje de baño le vendrá también muy bien, ya que se puede aprovechar de la existencia de ríos y manantiales termales de las barrancas. A sus paseos y exploraciones, tendrá que llevar todo el alimento y agua necesarios ya que solo se consigue en Madera.

Información General: Hay cinco complejos con cuevas a lo largo de la Barranca de Huápoca y en sus barrancas laterales y arroyos. La distancia entre estos sitios, malos caminos y caminatas de 1 a dos horas a cada uno de ellos, vuelve poco práctico el visitar más de un complejo en un solo día. La excepción es Cuarenta Casas, la cual puede combinarse con la Cueva del Puente. Ambas se localizan por la misma carretera, pero se recomienda empezar lo más temprano posible.

La mejor forma para explorar la Barranca de Huápoca es en vehículo particular con doble tracción, teniendo la opción de acampar cuando les apetezca. Sin embargo, la mayoría de los visitantes debe adaptarse a la limitada infraestructura turística de la región. Tomando Madera como base, se pueden realizar paseos a las distintas cuevas con casas. El Motel Real del Bosque ofrece tours para grupos de 4 a 6 personas, dependiendo del destino. Una alternativa más conveniente es negociar su propio tour con un taxista de la localidad. El costo variará, pero unos $10.00 USD por hora es una tarifa razonable.

Los pocos hoteles de Madera son más caros que sus similares en Creel. El Motel Real del Bosque, localizada a la entrada de la ciudad, es el mejor y tiene un buen restaurante en seguida. El Parador de la Sierra y el Motel María pueden ser más prácticos para aquellos que llegan por autobús, ya que se encuentran a una distancia razonable para caminar de la estación de autobuses y de varios restaurantes. Sus instalaciones no son modernas, pero las habitaciones están limpias, tienen baño privado y agua caliente. Tiendas de abarrotes cercanas cuentan con una buena variedad de alimentos enlatados y frescos para días de campo, así como para complementar los alimentos casi siempre fritos de los restaurantes. Si anda en su propio vehículo, una de las mejores opciones está en la rivera del Lago Peñitas, (7 k al norte de Madera) donde hay un hostal que consta de rústicas cabañas de madera bien equipadas que por su bello entorno, son una magnífica opción.

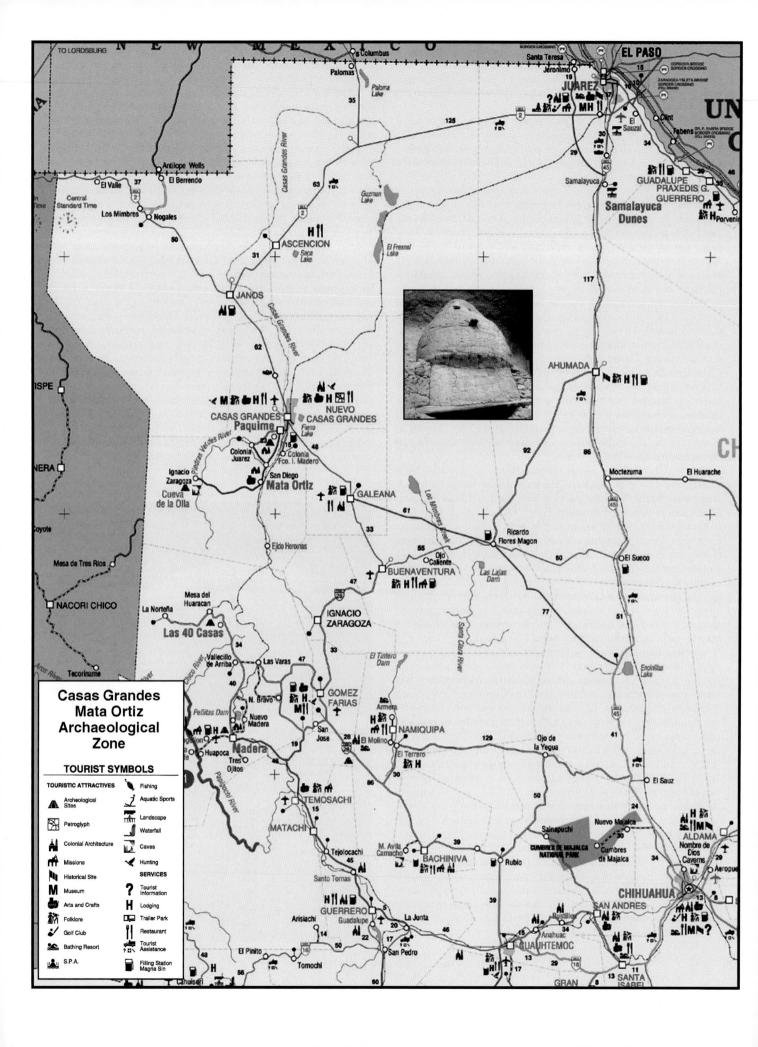

CIRCUITO ARQUEOLÓGICO
CASAS GRANDES-MADERA
Cortesía de la Dirección de Turismo de Chihuahua

EL CIRCUITO ARQUEOLÓGICO

La zona arqueológica más importante del norte de México se localiza en el estado de Chihuahua, al pie de la parte oriental de la Sierra Madre y barrancas cercanas. Los vestigios de una gran civilización, la cual se extendía de los valles de Casas Grandes hasta las laderas de las montañas cercanas a Madera, son como una ventana a la historia prehispánica. En este sitio, hace más de 900 años, la cultura mogollón logró importantes avances arquitectónicos y se encuentran presentes en la gran ciudad de Paquimé y en las construcciones dentro de cuevas naturales, tales como Cuarenta Casas y la Cueva Grande. Los tours sugeridos nos dan la oportunidad de apreciar las ruinas de una gran cultura que existió mucho antes de la llegada de los españoles.

LA ARQUEOLOGÍA

En todo México, existen numerosos e importantes sitios arqueológicos, catalogados por los especialistas por zonas. A las culturas asentadas en lo que hoy es el centro y sur del país se les denomina Mesoamérica; mientras que las del norte se les conoce como árido América o la Gran Chichimeca. En los albores de la humanidad, en ambas zonas el desarrollo cultural se dio a la par, Esto nos lo sugiere el que gracias al descubrimiento de la agricultura se hayan establecido formando civilizaciones y estados.

La frontera norte de Mesoamérica nunca fue muy estable en su desarrollo cultural, principalmente por la diversidad de grupos que habitaban la zona. Otros factores fueron lo poco favorable del clima en esta región desértica, con temperaturas extremas tanto en verano como en invierno. La región también es propensa a sufrir sequías cíclicas, dificultando el establecerse permanentemente en un sitio.

Los primeros pobladores probablemente llegaron hace unos once mil años. Sin embargo, los vestigios más antiguos encontrados por los arqueólogos datan de apenas el año 6,000 AC. Estas personas comúnmente vivían en cuevas naturales. Con el desarrollo de técnicas agrícolas, empezaron a establecerse en las márgenes de los ríos. Los primeros pobladores plantaron semillas nativas tales como maíz, frijol, calabaza y algodón, realizando adecuaciones para las diferentes condiciones climáticas. Entre más complejas se volvían sus técnicas, más sedentarias se volvían sus

comunidades. Los primeros poblados se componían de unas cuantas casas, llamadas trincheras, con entradas laterales y techos de varas.

Hay indicios que para el año 700 DC las casas eran más grandes y había un mayor conocimiento de técnicas agrícolas. Hubo cambios en la arquitectura; las casas individuales fueron sustituidas por complejos o conjuntos de casas, algunos de hasta cinco pisos. Se cree que esto se debió a un mayor intercambio cultural y más comunicación con Mesoamérica (centro y sur de México). Otros complejos similares fueron erigidos en puntos estratégicos sobre el camino que va a lo que ahora se conoce como Nuevo México y hacia el Mar de Cortés. Algunos ejemplos son Cuarenta Casas, la Cueva Grande y el Complejo Mogollón, entre otros. Estos complejos se parecen en que todos fueron construidos en cuevas naturales y en impactantes riscos. En el caso del Valle de Casas Grandes, o sea Paquimé, fue sorprendente descubrir un sistema de irrigación que traía agua a la ciudad desde un manantial, distante unos 6 Km. hacia el norte. Esto lo hacían mediante un angosto canal que terminaba en una poza de roca desde la cual se distribuía a distintas áreas dentro del complejo habitacional.

Otro aspecto interesante son las jaulas que utilizaban para criar guacamayas. Estas aves se traían del sur del país y sus plumas eran muy apreciadas como adorno para sus trajes ceremoniales y rituales. Parece ser que las guacamayas tenían el mismo valor en toda Mesoamérica y en la Gran Chichimeca. Se cree que estas aves representaban al agua, la lluvia y la fertilidad. Su imagen se encuentra frecuentemente representada en las piezas de cerámica encontradas en la zona.

La ciudad fue abandonada súbitamente durante el siglo XV. Evidencia arqueológica sugiere que Paquimé fue incendiada. Entre las ruinas se encontraron cenizas, paredes caídas y varios cadáveres que no fueron enterrados adecuadamente. No se conocen las causas que provocaron este abandono. Pudo haber habido una rebelión interna de súbditos o intensas batallas rituales con los pueblos vecinos. Quizá el golpe final lo sufrieron al ser atacados por una tribu cazadora-recolectora que quería el alimento y riquezas de la ciudad. Una combinación de todas las posibilidades anteriormente mencionadas parece ser lo más viable. Sin embargo, nadie sabe lo que realmente ocurrió. La hipótesis más aceptada es que la destrucción de Paquimé fue obra de los Suma, una tribu de cazadores-recolectores. Eran ellos los que habitaban la zona cuando llegaron los españoles, casi dos siglos después.

CASAS GRANDES-NUEVO CASAS GRANDES

La Sierra Madre Occidental divide el Valle de Casas Grandes. Montañas, praderas y desiertos conforman esta hermosa tierra.

Los primeros españoles llegaron a estas tierras en 1565. Eran parte de una expedición que salió de Durango y venía al mando de Francisco de Ibarra. Baltasar de Obregón, el historiador oficial de la expedición, describió las ruinas como "una ciudad que pudo haber sido construida por los antiguos romanos". Los indígenas que vivían en la zona no eran descendientes de los constructores de esta gran obra, pero fue por ellos que supo su nombre: Paquimé.

En 1661 los franciscanos iniciaron su labor de convertir a los indígenas al catolicismo. Construyeron un convento dedicado a San Antonio de Casas Grandes. Los indígenas no aceptaron el catolicismo fácilmente y de vez en cuando se rebelaban, aunque con poco éxito. Se construyeron asentamientos que florecían para finales del siglo XIX y principios del XX, gracias a la conquista de los apaches y la llegada del ferrocarril. La industria minera y la maderera hicieron que la zona se desarrollara económicamente. En 1875 llegaron los primeros mormones a establecerse en la región. Con la llegada del ferrocarril, se fundó una nueva comunidad, llamada Nuevo Casas Grandes. Es la que sostiene económicamente a la ciudad original. Durante la década de 1960, llegaron muchos inmigrantes Menonitas que adoptaron la región como su nueva tierra.

Ubicación y Cómo Llegar: Casas grandes se localiza 299 K al noroeste de la Ciudad de Chihuahua y a 288 K al suroeste de Ciudad Juárez, en el estado de Chihuahua. Con una altitud de 1,450 msnm, su temperatura oscila entre los -10° C en invierno y 35° C en verano. Algunos de los principales puntos de interés de la zona son los siguientes:

Paquimé – Localizada en el bello Valle de Casas Grandes, es el sitio arqueológico más importante del norte de México. La ciudad prehispánica floreció entre los años 900 y 1,350,

teniendo un sorprendente nivel de urbanización. La ciudad fue abandonada unos doscientos años antes de la llegada de los españoles. Los vestigios denotan una gran civilización. Algunas de las construcciones tenían hasta cuatro pisos y escaleras interiores. Las principales características del lugar son sus puertas en forma de "T" y su sofisticado –para la época- sistema de distribución de agua potable. Fueron los artesanos de este sitio los que desarrollaron la hermosa cerámica por la que todavía es reconocida esta región.

Museo de las Culturas del Norte – Esta joya de la museografía fue construido sin impactar visualmente la zona arqueológica adjunta, es custodiado por elementos del Instituto Nacional de Antropología e Historia (INAH). Apoyado en piezas originales, maquetas, ilustraciones y videos, el visitante puede aprender mucho sobre los que han habitado la región en diferentes épocas. Es uno de los museos más modernos del país.

Colonias Mormonas: Dublán y Juárez – Estas comunidades fueron fundadas por inmigrantes que abandonaron los Estados Unidos por cuestiones religiosas a finales del siglo XIX. La mayoría ha permanecido fiel a sus tradiciones usos y costumbres; sus casas son típicamente norteamericanas.

Campo Menonita El Capulín – Este campo lo habitan los descendientes de los Menonitas canadienses que se establecieron aquí a principios del siglo XX. Son famosos por ser sumamente trabajadores y son considerados como los mejores agricultores del mundo. Este grupo se ha apegado más a sus tradiciones que los que se establecieron en la zona aledaña a Cd. Cuauhtémoc, hasta la fecha, no utilizan vehículos motorizados ni escuchan la radio.

Hacienda San Diego – Ubicada unos 25 Km. al sur de Casas Grandes, la Hacienda San Diego, construida en 1902, se conserva en buen estado. Fue una de las 30 haciendas que pertenecieron a Luis Terrazas, el mayor terrateniente de Chihuahua y quizás de todo México.

Juan Mata Ortiz – Sin lugar a dudas, es el centro artesanal más importante del norte de México. Se localiza 54 K al sur de Casas Grandes. Ofrece al visitante la oportunidad de observar la elaboración de piezas de cerámica, con la utilización de las técnicas prehispánicas. Aquí vive Juan Quezada Celado, quien logró el Premio Nacional de Ciencias y Artes gracias no sólo a su talento, sino por haber compartido con sus coterráneos, su técnica para la elaboración de la magnífica cerámica que ha ubicado en el mapa mundial de la cerámica, a este pequeño poblado del norte de México.

PASEOS POR EL VALLE DE CASAS GRANDES

Mormones y Menonitas – Para poder disfrutar estas dos culturas, podría empezar con una visita a Colonia Dublán. Después de visitar las encantadoras y viejas casas de madera, aproveche para comer en una de ellas, la cual ha sido convertida en un agradable restaurante. Unos 30 Km. al norte se encuentra el campo menonita El Capulín. Aquí será testigo del arduo trabajo agrícola, así como de su particular estilo de vida. (Este paseo dura unos 90 minutos.)

Los Artesanos de Mata Ortiz – Saliendo de Casas Grandes, nos dirigimos al sur hasta la colonia mormona más antigua, Colonia Juárez, la cual alberga una de las escuelas más prestigiadas de la zona, la Academia Juárez. Si tiene la fortuna de hacer este recorrido en la primavera, se verá rodeado de miles de fragantes manzanos y duraznos en flor. A través de los años, esta zona se ha convertido en una de las zonas frutícolas más importantes del país. Unos diez kilómetros al sur de Colonia Juárez se encuentra la Hacienda San Diego. Su construcción de principios del siglo XX amerita aunque sea una breve visita. Siguiendo por el mismo camino, cinco kilómetros más al sur, se llega al pequeño pueblo de Mata Ortiz, que recibe su nombre de un famoso héroe mexicano. Tras los muros de adobe de las viejas casas, los habitantes están creando algunas de las más hermosas y famosas obras de arte de todo México. Con un poco de suerte, lo invitarán a entrar y observar el proceso. (Este paseo toma unas 3 horas.)

Cueva de la Olla – Valle de las Cuevas – Necesitará todo un día para este paseo, cuya ubicación es ideal para un día de campo. Ubicada a 54 K al suroeste de Casas Grandes, esta cueva natural contiene vestigios de una civilización más antigua que la de Paquimé. En esta cueva se encuentra una enorme olla, de unos 5 metros de altura, que servía para almacenar las semillas o granos de la comunidad. (Se recomienda contratar un guía local para este paseo.)

Otros Lugares de Interés – El Arroyo de los Monos ofrece un espectáculo de pinturas rupestres en un pequeño cañón, rebosante de flora del desierto. (Este paseo dura unas dos horas.)

MADERA

Madera se encuentra al norte de la Sierra Madre Occidental, en la parte noroeste del estado de Chihuahua. Aquí encontrará planicies, barrancas y cañones, rodeados de bosques de pino y encino. También se localiza, junto con el Río Papigochi (conocido localmente como Sírupa o Huápoca), el principio de uno de los sistemas de barrancas más grandes del planeta.

Breve Historia – La zona alrededor de Madera ha sido habitada durante, al menos, los últimos 2,000 años. Las ruinas que se han encontrado aquí, fueron hogar de varios grupos étnicos, no muy distantes a los de la cultura Paquimé. Cuando llegaron los españoles a la región, estaba habitada por indios Java. Sin embargo, no había descendientes de la gente que desarrolló la gran civilización que dejó testimonio de su presencia en las cuevas y barrancas.

Los primeros misioneros jesuitas llegaron a finales del siglo XVII y fundaron los centros de Nahuérachi y Sírupa. Ambos fueron destruidos durante una la rebelión indígena ocurrida en 1690. Alrededor de 1728, se descubrieron las primeras minas cerca de Guaynopa, iniciándose así la colonización. A principios del siglo XX, los primeros aserraderos abrieron sus puertas cerca de un lugar llamado Ciénega San Pedro, el cual cambió su nombre a San Pedro Madera. El norteamericano William C. Green tenía la concesión de un aserradero y más tarde fundó la Sierra Madre Land and Lumber Company, la cual dio un gran impulso económico a la región. En 1906 llegó el ferrocarril.

Ubicación – Madera se localiza a 376 Km. de distancia de Ciudad Juárez, pasando primero por Casas Grandes. Está a unos 275 Km. al noroeste de la Ciudad de Chihuahua. Con una altura de 2,112 msnm, su temperatura oscila de los -12° C en el invierno a los 30° C en verano.

Sitios Turísticos de Interés – Esta es una región rica en bellezas naturales y variados sitios arqueológicos, con bien conservadas cuevas y barrancas con casas.

PASEOS ALREDEDOR DE LA CIUDAD DE MADERA

Arqueología y Paisajes – Este paseo inicia con una visita a la Presa Peñitas. En invierno, las aves migratorias presentan un magno espectáculo y durante el verano es un lugar popular para pasear en bote o pescar. Siga por la misma carretera unos 40 Km. y tome la desviación a la izquierda para ir al sitio arqueológico de Cuarenta Casas. Se requiere de una caminata de aproximadamente 1.5 Km., entre un agradable bosque, para visitar el sitio. (Este paseo dura unas tres horas.)

Arqueología y Naturaleza – Este paseo inicia en un camino de terracería que atraviesa un bosque en las laderas de la Sierra Madre Occidental. El primer lugar a visitar es el Conjunto Mogollón, el cual incluye la Cueva de la Serpiente y la del Nido del Águila, ambos situados en lo alto de la barranca. De aquí, diríjase 30 K hacia el oeste hasta un lugar conocido como la Cueva Grande. Esta enorme cueva natural contiene un conjunto de casas. La última parada de este paseo es en las aguas termales de Huápoca. Se pueden tomar agradables baños en las pozas naturales, lo cual puede representar un breve descanso después de haber visitado los sitios arqueológicos mencionados líneas arriba.

Aguas Termales de Sírupa – Se forma por uno de los manantiales de aguas termales más hermosos de la región, donde el agua brota de manera natural de tres grietas en la roca, formando una pequeña cascada y varias pozas ideales para un relajante baño. Sírupa se localiza 60 k al sur de Madera y se llega por un camino de terracería. (Este paseo tiene una duración aproximada de cuatro horas.)

Otros Sitios de Interés – La Hacienda Nahuérachi se localiza 9 k al suroeste de Madera. Es de finales del siglo XVII, cuando se fundó la misión del mismo nombre. El edificio se encuentra en ruinas, pero nos permite dar un vistazo a cómo se fundaron los primeros asentamientos españoles. En 1690 tuvo lugar aquí una sangrienta rebelión indígena. Si prosigue por este camino, unos 20 k al sur se encuentra la Misión Tres Ojitos. El amable sacerdote y guía espiritual del pueblo, es una gran fuente de información, tanto histórica como de otro tipo. El ha desarrollado una industria local, enseñando a la gente a elaborar chorizo de puerco, como en España.

Nota: Las horas de visita a los sitios arqueológicos es de 9:00 AM a 4:00 PM, de martes a Domingo. De ser posible, le recomendamos visitarlos durante la mañana.

ARCHAEOLOGICAL CIRCUIT
CASAS GRANDES – MADERA
Courtesy of Chihuahua Department Tourism

THE ARCHAEOLOGY CIRCUIT

The most important archaeological region of northern Mexico is found in the state of Chihuahua along the eastern foot of the Sierra Madre and nearby canyons. The vestiges of a great civilization that was established from the valleys of Casas Grandes to the lower slopes of the mountains near Madera serve as a window to Native American history. Here, over 900 years ago, the Mogollon culture achieved many architectural advances which are found in the great city of Paquimé and reflected in the constructions in natural caves such as Cuarenta Casas and Cueva Grande. The tours suggested provide an opportunity to witness the remains of a great culture which existed long before the arrival of the Spaniards.

THE ARCHAEOLOGY

A great number of important archaeological sites exist throughout the country of Mexico. Recent studies have defined the area in the central and southern parts of the country as Mesoamerica and the northern area as the Great Chichimeca. In most of the Mesoamerican regions, the cultural development was close enough to be called similar; suggesting that comparable processes began around the year 2000 B.C., with the establishment of stable agricultural settlements that, through the years, became civilizations and states.

The northern frontier of Mesoamerica was never stable of in its cultural development, primarily because of the diversity of the groups that inhabited the area. Additional factors were the adverse climate conditions in this desert region which resulted in extreme temperatures in both winter and summer months. The region is also very drought prone making permanent settlements difficult.

The first settlers to this region probably arrived about eleven thousand years ago. However, the earliest physical remains that have been located by archaeologists date to only about 6000 B.C. These people often lived in the land's natural caves. With the development of agricultural techniques, they began to settle along the riverbanks. The first settlers planted seeds from Mesoamerica such as corn, beans, squash, and cotton, making adaptations to the different weather conditions. As their techniques became more complex, the groups became less nomadic. The first villages were generally a group of small houses, known as fosses, with side entrances and roofs made out of sticks.

There are indications that by the year 700 A.D., the houses had become larger and there was an increase in the knowledge of agricultural techniques. Architectural change occurred, single dwellings gave way to housing complexes, some of which were five stories high. This is believed to have been due to an increased communications and cultural exchange with Mesoamerica (central and southern Mexico). Other similar housing facilities emerged at strategic points along the routes to what is currently called New Mexico and also the Sea of Cortés. Examples include Cuarenta Casas (40 houses), the Cueva Grande, and the Mogollon complex, among others. These buildings were similar in that they were constructed in natural caves and on impressive cliffs. In case of the Casas Grandes Valley, the Paquime site, a surprising discovery was the irrigation system which brought water to the city from a spring almost four miles to the north. This was accomplished by means of a narrow channel, terminating in a natural rock tank from which the water was distributed to a variety of areas within the complex.

Another interesting feature are the cages which were used to raise parrots. These birds were imported from the south of the country and their feathers were highly valued as adornments for ceremonial garb and for ritual customs. It seems the parrot may have had the same significance all over Mesoamerica and in the Great Chichimeca. It is believed that the birds represented water, rain, and fertility. Its image is frequently found on pottery specimens as well.

At some time during the fifteenth century, the city was suddenly abandoned. Archaeological evidence suggests the city of Paquimé was burned. Among the remains were ashes, various fallen walls, and a number of bodies which had not been properly buried. The reason is not fully understood even today. There may have been an internal rebellion of servants in their society or intense ritual warfare with neighboring pueblos over decreasing natural resources. Perhaps an attack by a hunter-gatherer tribe who wanted the food and wealth contained in the city was the final blow. A combination of all of the above seems most likely. No one knows for sure however. The most accepted hypothesis is that the destruction of Pacquimé was brought about by the Suma people, a tribe of hunter-gatherers. It was they who occupied the region when the Spanish first arrived almost two centuries later.

CASAS GRANDES — NUEVO CASAS GRANDES

The Casas Grandes Valley is divided by the Sierra Madre Occidental. Mountains, prairies, and deserts combine to form this beautiful land.

The first Spaniards arrived here in 1565. They were a part of an expedition from Durango led by Francisco de Ibarra. Baltazar de Obregón, the expedition's official historian, described the ruins as "a city that might have been constructed by the ancient Romans." The native people who lived in the area at the time were not the descendants of the architects of this great work, but it was from them that Obregón learned its name – Paquimé.

In 1661, the Franciscans began the process of converting the native population to Catholicism. They built a convent dedicated to San Antonio de Casas Grandes. The indigenous people did not accept Christianity easily and occasionally rebelled, though without much success. Settlements were built and were flourishing by the end of the nineteenth century and the beginning of the twentieth century, with the conquest of the Apaches and the coming of the railroad. Industries such as timber and mining arrived and developed the area economically. In 1875, the first Mormon pioneers arrived and settled in the area. With the arrival of the railroad, a new community was formed named Nuevo Casas Grandes. It remains the economic support to the original village. During the 1960s many more Mennonite immigrants arrived and adopted the land as their own.

Location and How to Get There: Casas Grandes is located 200 miles northwest of Chihuahua City and 100 miles southwest of Ciudad Juárez, in the Mexican State of Chihuahua. At an altitude of 4,760 feet above sea level, its temperature ranges from a low of about 14 degrees F in the winter to a high of about 95 degrees F in the summer. Some of the major points of interest in the area are as follows:

Paquimé. Located in the beautiful valley of Casas Grandes, Paquimé is the most important archaeological site in northern Mexico. This prehispanic city flourished between the 900 and 1300 AD with an astounding level of urbanization. The city was abandoned nearly two hundred years before the arrival of the first Spaniard, the evidence left behind suggested a very high level of civilization. Some of the buildings had as many as four levels and interior stairs. The site is characterized by its doors with the shape of a "T" and a very sophisticated – for the time – interior system of fresh water distribution. And it was the artisans here who developed the beautiful pottery for which this area is still renowned.

Museum of Northern Cultures. This jewel of a museum was recently constructed by the National Institute of Anthropology and History. Here, aided by many original pieces, models, illustrations, and videos, the visitor can learn much about the area's inhabitants over the various eras. This is one of the most advanced museums in all of Mexico.

Dublan and Juárez Mormon Colonies. These colonies were founded by immigrants who left the United States for religious reasons during the late 1800s. They held tight to their old traditions, as is apparent by their typical American-style homes.

El Capulin Mennonite Colony. This colony is inhabited by the decendants of Canadian Mennonites who settled here

at the turn of the twentieth century. They are known for their strong work ethic and are widely considered to be among the best farmers in the world. This group has clung more fiercely to their old traditions than the group who settled in the area of Cuauhtémoc, near the center of the state. To this day they do not use motor vehicles or listen to the radio.

Hacienda San Diego. Located about 16 miles south of Casas Grandes, the Hacienda San Diego was constructed in 1902 and remains well preserved. It was one of 30 haciendas that once belonged to Luis Terrazas, the biggest land baron that Chihuahua, and probably Mexico, has ever known.

Juan Mata Ortiz. Without a doubt, the most important artistic center in northern Mexico, Mata Ortiz is located just 34 miles south of Casas Grandes. It offers the visitor an opportunity to witness pottery making using the most ancient techniques. This is home to Juan Quezada who brought international recognition to his town through his talent and willingness to share his techniques for making the unique polychrome pieces with the people of his village.

SUGGESTED TOURS AROUND THE CASAS GRANDES VALLEY

Mormons and Mennonites: For a combination of these two cultures, you might begin with a visit to the Dublan Colony. Following a tour of the wonderful old wooden houses in the neighborhood, take the opportunity to dine in one that has been converted into a fine restaurant. A drive to the north just less than 20 miles, will bring you to El Capulin, the Mennonite colony. Here you will see evidence of the farmers' hard work as well as their unique lifestyle. (This tour lasts about 90 minutes.)

The Artisans from Mata Ortiz: This tour begins in Casas Grandes and heads south to the oldest Mormon Colony, Juarez Colony, which is home to one of the most prestigious schools in the area, the Juárez Academy. If you are fortunate enough to be making this trip in the spring, you will find yourself surrounded by thousands of fragrant apple and peach blossoms. Through the years, this region has developed into one of the country's finest fruit growing areas. A little over six miles south of Juarez Colony, you will see the Hacienda San Diego. Its turn-of-the-century construction merits at least a momentary stop. Just 3 miles further south along the same road, you will reach a little village names after a famous Mexican war hero, Juan Mata Ortiz. Within the walls of the old adobe houses of this village, the residents are creating some of the most beautiful and famous pieces of art in all of Mexico. With a little luck, you may be invited inside to witness the process. (This tour takes about 3 hours.)

Cueva de la Olla – Valle de las Cuevas: For this tour you will need a full day and the site is ideal for a picnic. Located 34 miles southwest of Casas Grandes, this natural cave contains vestiges of a civilization even older than that of Paquimé. In this unique cave is an enormous pot approximately 15 feet

tall which was used for storing the community's grain. (It is recommended that you hire a local guide for this tour.)

Other Points of Interest: Cañon de los Monos offers a spectacle of petroglyphic art in a small canyon teeming with beautiful desert vegetation. (This tour takes about two hours.)

MADERA

Madera is located to the north of the Sierra Madre Occidental, in the northwestern part of the state of Chihuahua. Here you will find plains, canyons, and gorges, surrounded by forests of pine and oak. Here too, with the Papigochi River (also known locally as the Sirupa or Huapoca) is found the beginnings of one of the world's largest canyon systems.

A Brief History. The area around Madera was inhabited for at least the last 2000 years. The ruins found here served as dwellings for diverse ethnic groups, even different from the ones that formed the Paquimé culture. When the Spaniards first arrived here, it was inhabited by the Java Indians. However, they were not the decendants of the people that developed the great civilization that left a testimony to their existence in the caves and gorges.

The first Jesuit missionaries arrived at the end of the seventeenth century and founded the Nahuerachi and Sirupa centers. Both were destroyed during a rebellion by the natives which occurred in 1690. Around 1728, the first mines were discovered near Guaynopa which effectively began the process of colonization. In the early 1900s, the first sawmills were opened near a place called Ciénega San Pedro, which later became known as San Pedro Madera. An American by the name of William C. Green had the concession of a sawmill and he went on to create the Sierra Madre Land and Lumber Company which provided a great economic boost to the region. In 1906, the railroad began to serve the region.

Location. Madera is located 235 miles from Ciudad Juarez and is reached after first passing through Casas Grandes. It is some 173 miles northwest of Chihuahua City. At an elevation of 6,929 feet, its temperature ranges from winter lows of about 10 degrees F to summer highs of about 86 degrees.

Tourist Points of Interest. This is a region of many natural wonders and diverse archaeological sites with well-preserved dwellings built in natural caves and deep gorges.

SUGGESTED TOURS AROUND THE CITY OF MADERA

Archaeology and Scenery: This tour begins with a visit to the Peñitas Dam. In winter, migrating birds provide a colorful natural spectacle and, during the summer, it is a popular spot for fishing or boating tours. Follow the same road north for 26 miles and take the junction to the left to arrive at the archaeological site of Cuarenta Casas. A visit to the actual site

requires a one-mile walk through a pleasant forest. (This tour takes about three hours.)

Archaeology and Nature: This tour begins on a dirt road through a forest just on the foothills of the Sierra Madre Occidental. The first place to visit is the Mogollon complex which includes the Cueva de la Serpiente and the Nido de Aguila, both of which are situated on high cliffs. From here, travel 19 miles to the west to a place known as Cueva Grande. This enormous natural cave contains a series of constructions. The final stop on this tour is the thermal waters of Huapoca. Here pleasant baths can be taken in natural pools. This can be a very welcome break after the rigors of visiting all the archaeological sites suggested above.

Sirupa Hot Springs: One of the most beautiful hot springs in the area, the water flows from three outlets in the earth, forming a small waterfall and pools that are just right for a comforting bath. Sirupa is located some 38 miles south of Madera and is reached by a dirt road. (This tour will last approximately four hours.)

El Tascate Fishing Club: An ideal site for fishing, boating, or camping, El Tascate is located only 20 minutes northeast of Madera.

Other Points of Interest: The Nahuerachi Hacienda is located just six miles southwest of Madera. It dates from the end of the seventeenth century when a mission by the same name was founded. The building is now in ruins, but it provides a glimpse of how the first Spanish settlements began. In 1690, this was the site of a bloody indigenous rebellion. If you continue along this road for another 13 miles to the south, you will come to the Tres Ojitos Mission. Here, the friendly priest and spiritual guide of the village, Jesus Espronceda, is a source of great information, historical and otherwise. He has even developed a local industry, teaching the people to make pork sausage the Spanish way.

Note: Archaeological site visiting hours are from 9:00 a.m. until 4:00 p.m., seven days a week. When possible, morning visits are recommended.

EL MUSEO LOYOLA EN CUSÁRARE, CHIHUAHUA
Por Roger Pfeuffer

El Edificio- El pueblo de Cusárare, localizado 21 kilómetros al sur de Creel, se ha convertido en un importante centro del arte misionero español del siglo XVIII en Chihuahua. Planeado y ejecutado por encargo del Padre Luis Verplanken, SJ., el nuevo Museo Loyola es hoy una realidad. Se localiza al lado de la antigua iglesia de adobe, construida en 1733, que albergaba óleos de Miguel Correa sobre la vida de la Virgen María, de 2 x 1.5 metros. Fueron pintados alrededor del año 1713 y fueron adquiridos por el misionero, quien probablemente los utilizó para catequizar.

En 1967 el campanario se vino abajo. Temiendo que las pinturas sufrieran daños irreparables, el Padre Verplanken los retiró de allí y empezó a planear restaurarlos.

Tomó treinta años volver un sueño realidad para que abriera sus puertas el nuevo Museo Loyola, el 31 de julio de 2003. El afamado despacho de arquitectos, Ann Beha Associates, contribuyó con ideas para el diseño del mismo. El diseño final se basó en un convento con patio central. Alrededor del patio se encuentran un vestíbulo de entrada, una sala para orientación, una galería etnográfica, salas de exhibición y una tienda que vende artesanías locales.

Los materiales utilizados para la construcción fueron adobe, piedra y madera. Los adobes fueron hechos a mano por más de 300 tarahumaras y se utilizaron árboles de la región para la viguería de madera.

Junto con otras obras recopiladas por los sacerdotes de las misiones de la región de la Barranca del Cobre, los óleos de Miguel Correa se encuentran en un lugar protegido y estéticamente agradable. Más importante aun es que estos "Tesoros de la Sierra Madre" se han preservado y restituido a sus verdaderos dueños, los tarahumares.

Las Pinturas- La parte más importante de esta colección la compone un grupo de doce óleos sobre la vida de la Virgen María, pintados por Miguel Correa a principios del siglo XVIII.

Cada cuadro representa una época de la vida de la Virgen María y se titulan de la siguiente manera: *Nacimiento de María; María, presentada en el templo; El Matrimonio de María y José; La Anunciación; La Visita a Santa Isabel; Buscando Posada en Belén; Nacimiento de Jesús; La Presentación del Niño en el Templo; La Circunción; La Adoración del Niño por los Reyes Magos; El Niño Jesús Entre los Maestros de la Ley y Pentecostés.*

Los doce cuadros ocupan la galería central del museo. Está iluminada tanto por la luz natural que penetra por las ventanas del triforio, tan altas que la luz solar no les pega directamente, y por focos estratégicamente colocados, alimentados con energía solar. Esto da como resultado un agasajo visual de los cuadros perfectamente bien restaurados (ver la solapa delantera).

Estos cuadros serían suficientes para cualquier museo de un pueblo remoto, pero el Museo Loyola no es un museo típico. Bajo la supervisión de la conservadora del museo, Lorena Padilla, las obras recolectadas por los sacerdotes de otras misiones de la Tarahumara están siendo investigadas y documentadas. Habiendo asegurado conservación, han sido expuestas al público nuevamente. Gracias a la investigación que se lleva a cabo, algunos datos interesantes han salido a la luz.

Miguel Correa, con sus doce óleos sobre la vida de la Virgen María, no es el único miembro de la familia Correa presente en esta colección. También hay cuadros de su padre, Juan. La investigación llevada a cabo por Lorena Padilla muestra que **Juan Correa** (1646-1716) nació durante la Inquisición, siendo sus padres Pascuala de Santoya, una esclava africana liberada, y de un famoso peluquero-cirujano español.

Juan Correa fue un importante artista durante la etapa de la Colonia en la Nueva España. Primero, como un pintor mulato, representaba a la nueva clase social, los mestizos y los mulatos (hijos de indígenas y españoles). Generalmente, los mulatos y mestizos sólo podían aspirar al puesto de aprendices de las artes. Era inconcebible que los descendientes de africanos pudieran llegar a se líderes y maestros de otros pintores.

En segundo lugar, practicaba la medicina y, junto con Cristóbal Villalpando, el principal maestro del estilo barroco que en ese entonces se desarrollaba en la Nueva España. Junto con sus colegas, alumnos y aprendices, trató de inculcar la religión mediante imágenes y símbolos, utilizando colores, movimiento y gestos, reflejándola en cierta iconografía. Estas obras de estilo barroco se generalizaron en las capillas, sacristías y atrás de los altares de los conventos y templos más famosos de la entonces Nueva España.

Se le da gran importancia a la obra de Juan Correa ya que usa colores intensos y grandiosas composiciones, así como por el lugar que ocupa en la historia del arte en México y su influencia en la actitud social y étnica del México contemporáneo.

Las obras de Juan Correa que se exhiben en Cusárare incluyen óleos de *San Gregorio Magno* y *San Atanasio*.

Otros dos artistas del siglo XVIII presentes en esta colección son **Francisco Martínez** y **Sebastián Salcedo. Martínez** nació en la Ciudad de México a finales del siglo XVII y fue, no solo un pintor sino, un famoso instalador de hoja de oro. Él instaló la hoja de oro del Altar de los Reyes en la Catedral Metropolitana de la Ciudad de México, obra terminada en 1743. Sus pinturas se distinguen por la belleza e interesante composición de gente y paisajes. Sus retratos son considerados su obra maestra. La colección de Cusárare incluye *San Ignacio de Loyola y la Santísima Trinidad* entre otros. Hay seis retratos de apóstoles de **Salcedo**, incluyendo *San Bartolomé; San Mateo; San Pedro; San Matías; Jaime el Mayor;* y *San Simón*, todas pintadas alrededor de 1779.

El museo abre los 7 días de la semana, de 10 a 5, y se encuentra en el pueblo de Cusárare. Cuenta con estacionamiento al norte de la iglesia y el acceso está pasando en atrio. El personal es local, amistoso, eficiente y tiene gran conocimiento sobre la obra y la construcción. Se cobra una cuota de recuperación muy pequeña.

The Loyola Museum at Cusárare, Chihuahua
by Roger Pfeuffer

The Building—The village of Cusárare, located 21 kilometers south of Creel, has become a significant center for 18th century Chihuahuan Spanish mission art. Conceived and realized through the efforts of Father Luis Verplancken, S.J., the new Loyola Museum is now a reality. It is located adjacent to the old adobe church, built in 1733 and which housed twelve 7 by 5 foot paintings depicting the life of the Virgin Mary as painted by Miguel Correa. They were completed *circa* 1713. They were acquired by the mission's priest who probably used them in catechism lessons.

In 1967 the church bell tower collapsed. Fearing irreparable harm to the paintings, Father Verplancken removed them and began plans to have them restored.

It took thirty years, and the implementation of a dream, when the new Loyola Museum opened on July 31, 2003. Ideas for the design were contributed by Ann Beha Associates, a highly regarded architectural firm. The final design is based on a convent with a central patio. Surrounding this patio is an entryway, an orientation room, an ethnographic gallery, painting galleries and a museum shop carrying local Indian arts and crafts.

The building materials of the museum are adobe and wood. The adobe blocks were handmade by over 300 Tarahumara Indians and local trees were cut for the lumber.

Along with the other paintings collected by the priests from the mission churches in the Copper Canyon region, the Miguel Correa paintings are now housed in a protective and aesthetically pleasing facility. Most importantly these outstanding "Treasures of the Sierra Madre" have been preserved and restored to their rightful owners, the Tarahumara Indians.

The Paintings—The centerpiece of the collection is the group of twelve paintings of the life of the Virgin Mary done by **Miguel Correa** in the early 18th century.

Each painting depicts a time in the life of the Virgin Mary and are titled as follows: *Birth of Mary; Mary Presented in the Temple; The Marriage of Mary and Joseph; The Annunciation; The Visit to Saint Elizabeth; Looking for a Room in Bethlehem; The Birth of Jesus; The Presentation of the Child in the Temple; The Circumcision; The Adoration to the Child by the Kings; The Young Jesus Between the Teachers of the Law* and *Pentecostes*.

The 12-painting set has been placed in the museum's central gallery. It is lit both by natural light coming through clearstory windows located high so direct sunlight will not hit them, and by carefully placed accent lighting generated by solar panels. The result is a visually stunning display of the fully restored paintings (see front cover flap).

These paintings alone would suffice for any remote village museum, but Loyola Museum is not your typical museum. Under the curatorship of Lorena Padilla, the paintings collected by the Fathers from other Tarahumara missions in the Copper Canyon region are being researched and documented. With their safety and preservation finally assured, they are again available for public display. Through the ongoing research, some interesting facts have emerged.

Miguel Correa with his twelve paintings depicting the life of Mary is not the only member of the Correa family represented in the collection. There are also paintings by his father, Juan. The research of Ms. Padilla shows that **Juan Correa** (1646-1716) was born during the time of the Inquisition to Pascuala de Santoya, a freed African slave, and a famous Spanish barber-surgeon father.

Juan Correa was a very important artist during Colonial times in New Spain. First, as a mulatto painter, he was representative of a new social group emerging in New Spain, the *mestizos* and the mulattos (the children of intermarriage of Indigenous peoples or Africans and those of Spanish descent). Normally, mulattos or *mestizos* could aspire to nothing greater in the art world than jobs as apprentices with painters. It was inconceivable at the time that descendants of the African population could rise to be leaders and teachers of other painters.

Second, he was a practitioner, and, along with Cristobal Villalpando, the primary teacher of the Baroque style then developing in New Spain. Along with his colleagues, students and apprentices, he tried to convey the current religious ideas and teachings through images and symbols, using colors, movements and gestures reflected in distinct iconography. These Baroque-style paintings became prevalent in the backdrops, chapels and sacristies of the most well-known convents and churches in regions of New Spain.

Juan Correa's work is given great importance because of his use of rich colors and grand compositions, and also for his position in Mexican art history and his influence on the social and ethnic heritage of contemporary Mexicans.

Juan Correa's works on display in Cusárare include oils on canvas of *Saint Gregory Magno* and *Saint Atanasio*.

Two other 18th century artists who are represented in the collection are **Francisco Martinez** and **Sebastian Salzedo**. **Martinez** was born in Mexico City at the end of the 17th century and was not only a painter but also a famous gold leaf setter. He set the gold leaf on the Altar of the Kings in the Cathedral in Mexico City which he completed in 1743. His paintings are noted for their beauty, and the interesting composition of people and landscapes. His portraits are considered the best of his works. The Cusárare collection includes his *Saint Ignacius of Loyola and the Holy Trinity* along with at least 3 others. **Salzedo** has six portraits of apostles include *Saint Bartolome; Saint Mathew; Saint Peter; Saint Matthias; James the Elder;* and *Saint Simon* all completed around 1779.

The museum is open 7 days a week from 10 to 5 and is reached by driving to the village of Cusárare and parking on the north side of the church. The museum entry is accessed by walking across the church yard. The staff is friendly, efficient and very knowledgeable about the paintings and the facility. A small entry fee is charged.

Chihuahua

Culture • Traditions • Treasures

A Taste of Chihuahua

Chihuahua City the capital of the state by the same name, has undergone an incredible renaissance in the past decade. It has progressed from a densely packed urban area to a city that in and of itself could be a cultural destination. It is certainly a compliment to the state to have such an impressive starting point for any adventure to the world famous Copper Canyon. The list of museums recently established in the historical zone downtown is truly impressive. A short list of attractions featured on these pages are the Casa de Villa or Pancho Villa museum, Metropolitan Cathedral, Palacio de Gobierno or State Capitol, Plaza de Armas featuring the statue of the city's founder, Antonio Deza y Ulloa, and the fabulous Quinta Gameros restored Victorian home of Chihuahua's elite silver mining barons before the revolution. Within these and other museums are destinations into the history and culture of the Mexican northern frontier. The people of Chihuahua are very proud of the new statue of the Arcangel San Gabriel.

Cuauhtemoc
Mennonite Cultural Museum

Parral

The Pancho Villa Days are featured every year in late July for an amazing three day fiesta. This event is called Jornadas Villistas when a magnificent group of over one thousand horseback riders invade the town. It is an incredible sight to see the reenactment of a thousand mounted riders attack the railroad yard in downtown Parral.

Cabalgata Villista parade winds from the train station through downtown to the ancient silver rich mines at the edge of town.

Museo y Centro Cultural "Palacio Alvarado" is a beautifully preserved and restored home of the rags-to-riches silver miner, Pedro Alvarado. The La Palmilla silver vein provided Pedro and indeed the city of Parral with the wealth and splendor of nineteenth century European high culture.

This museum along with the famous Pancho Villa museum (where the hero was assassinated) very colorfully illuminates the adventure, and tragedy that took place during the Mexican Revolution in Parral, which was the center of northern Mexico at that time.

Gran Jaripeo 2004

At Home in Mata Ortiz

From it's roots as a very traditional small Mexican village, Mata Ortiz has become a world class center for ceramic art. Juan Quezada, the innovator and leader of this success, has always promoted strong traditional family and village unity. As one of the leading young women artisans, Martha Martinez de Quezada is a beautiful example of how artistic and economic opportunities are passed from generation to generation throughout the entire community.

One of the unique experiences in Mata Ortiz today is that the visitor and buyer of ceramics can travel freely from home to home throughout the entire village making friends.

Paquimé Chihuahua

The Mystery of Paquimé

Many of the top archaeologists of today as well as historically believe that Paquimé is a critical link between the famous Anasazi cultures of Arizona and New Mexico to the high cultures of central Mexico. Many artifacts and architectural designs are shared from these diverse geographically dispersed indigenous groups.

Recent research reveals new proposals that the "step-fret" design preserved here in the architecture of Paquimé provides a critical link between cultures spread more than a thousand miles apart and over a seven hundred year time period. The Paquimé corn storage strategy provides the key to helping solve many pre-Colombian mysteries including the Chaco Canyon kiva system.

Paquime has been established as a World Heritage Site by the United Nations. The archaeology revealed here by Charles Di Peso and others provides some of the clues to resolving many mysteries of the ancients.

Chihuahuan Desert

Dunes • Canyons • Natural Areas

Santa Elena Natural Area

Comanche Canyon

Chihuahuan Desert - Traditional Northern Mexico Culture

This region has impressive natural scenery with a fossil zone, Coyame Caverns, Peguis and Santa Elena Canyons, as well as hot springs with swimming facilities.

History and culture abound in Cuchillo Parado, Tres Castillos, Presidio de San Carlos, Ancient Missions like Santa Ana de Chinarras in Aldama and San Jerónimo in Coyame.

Sporting activities include mountain biking, camping, river rafting, rock climbing, hiking and world-class birding.

A four lane highway and a system of rough but serviceable roads connect all of the remote villages and towns to comfortable hotels and fine restaurants in the small cities of Ojinaga, Manuel Benavides, Coyame and Aldama which are clean and attractive. There is an international border crossing with USA between Ojinaga and Presdidio, Texas.

Desierto Chihuahuense - Cultura

Zona de fósiles y dinosaurios. Grutas en Coyame. Vegetación desértica con yucas y cactáceas. Formaciones rocosas e imponentes cañones como del Pegüis en el municipio de Ojinaga y Santa Elena en el municipio de Manuel Benavides. Aguas ermales en Coymae y Ojinaga. Zoológico, parques acuáticos, balnearios y áreas de recreación familiar.

Museo de la Revolución en Cuchillo Parado, y sitios históricos en Tres Castillos y el Presidio de San Carlos. Antiguas Misiones como la de Santa Ana de Chinarras en Aldama y San Jerónimo en Coyame.

Desarrollo de diferentes actividades como bicicleta de montaña, campismo, paseo en balsa, escalada en roca, rapel, caminatas y días de campo.

Cómodos hoteles y restaurantes con sabrosa comida regional. Cruce internacional México-Estados Unidos entre Ojinaga y Presidio, TX.

Desde la ciudad de Chihuahua, hay una flamante carretera de cuatro carriles y buenos caminos vecinales que comunican a las principales poblaciones. Además cuenta con aeropistas.

Samalayuca Sand Dunes

The Samalayuca sand dunes are located about 35 miles south of Ciudad Juárez. It is an exotic desert area that looks like a sea of sand, with the dunes representing motionless waves. It covers an area of 37 thousand acres, with spectacular sunrises and sunsets.

It gest the name Samalayuca from a salt bush that, even though covered by sand, indicates that there is some moisture next to it. The best time to visit this area is during the autumn, winter and early spring. During the summer temperatures can reach up to 115°f You should hire a local guide because there are no marked roads, you can easily get lost and most of the gates accessing the area are locked during the week.

Samalayuca dunes are scheduled to become a protected and ecotourism area in the next few years. The State Government of Chihuahua is currently planning a center much like Whitesands National Monument, Anza Borrego Park, City of Rocks Park New Mexico and the Museo del Desierto Coahuila.

Parque Ecoturístico Samalayuca

A 40 minutos de Ciudad Juárez y a 60 km. de la Frontera con Estados Unidos. Una zona potencial para el turismo carretero.

65,000 hectáreas de extensas dunas son el corazón del Desierto Chihuahuense y 15,000 hectáreas de dunas con alturas superiores a los 100 metros.

Refugio de más de 250 especies de flora silvestre y 76 de fauna, algunas con estatus de protección especial hasta peligro de extinción, de acuerdo a NOM 059 2001.

Existen 19 sitios arqueológicos petrograbados en la sierra Samalayuca registrados por INAH y el cruce de El Camino Real parte fundamental en la historia de Chihuahua.

En consecuencia al aprovechamiento de las condiciones estratégicas y oportunidades de la zona de Samalayuca, la Secretaría de Desarrollo Urbano y Ecología promueve la creación del Complejo Ambiental, Turístico y Cultural de Samalayuca. Parque Ecoturístico Samalayuca

La CONABIO clasifica a la zona como un área prioritaria para la conservación por su fragilidad y alto potencial turístico.

Sus bellos, diversos e imponentes escenarios forman parte de la Industria de cines y otras video filmaciones a nivel nacional e internacional.

En los tres últimos años se ha realizado el Festival de Turismo de Aventura incrementándose considerablemente la afluencia de espectadores de 350 en el año 2000 a más de 3,800 participantes en el año 2002, 8,000 a 2003 y 8,900 en 2004.

Samalayuca cuenta con accesos a través de la Carretera Panamericana y la línea A de Ferrocarriles Mexicanos.

El cambio de la aduana deja libre la zona de Samalayuca. La SCHP ha aceptado la donación por parte del Gobierno del Estado de Chihuahua del predio para la Nueva Garita Aduanal del Kilómetro 70.

Los Gobiernos de los Estados de Chihuahua y Nuevo México acordaron establecer el Corredor Turístico Samalayuca – White Sands, en el marco del programa Two Nation, Vacation!!.

Samalayuca Ecotourism Park

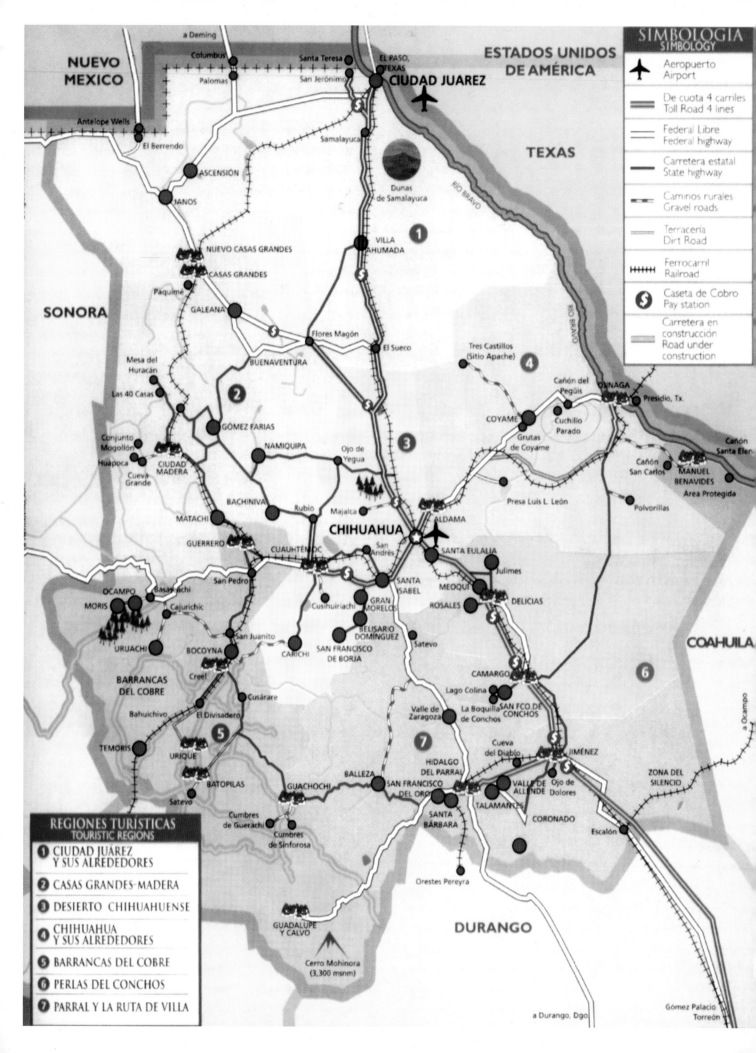